LES CLASSIQUES FRANÇAIS DU MOYEN AGE

publiés sous la direction de MARIO ROQUES

PROVERBES FRANÇAIS

ANTÉRIEURS AU XVe SIÈCLE

ÉDITÉS PAR

JOSEPH MORAWSKI

PARIS

LIBRAIRIE ANCIENNE ÉDOUARD CHAMPION, ÉDITEUR

LIBRAIRE DE LA SOCIÉTÉ DES ANCIENS TEXTES FRANÇAIS

5, QUAI MALAQUAIS (VIe)

1925

INTRODUCTION

Beal proverbe fait a retenir.

(Respit)

Les recueils d'anciens proverbes français sont le plus
souvent difficiles à atteindre[1], toujours difficiles à réunir,
il nous a semblé opportun de les fondre en un répertoire
unique qui puisse servir de base à ce « corpus général »
des proverbes français dont G. Paris, dès 1896, signalait
l'utilité[2]. Nous ne nous sommes pas, du reste, bornés aux
recueils publiés, et on trouvera, dans ce répertoire, bon
nombre de variantes nouvelles et même des proverbes inédits.

I. — Bibliographie des recueils des proverbes.

1º *Recueils proprement dits.*

A = Paris, Sainte-Geneviève, 550, fol. 282 vº-294 vº.
Ms. de la fin du XIIIᵉ s., à 2 col., renfermant 416 proverbes
et locutions rangés par ordre des initiales et accompagnés
de commentaires moitié bibliques moitié allégoriques.

Publication partielle dans le *Livre des prov. français,* de

---

1. Ainsi, le recueil de Cambrai (*C*), publié par M. Coulon dans les
Mém. de la Soc. d'émulation de Cambrai (t. LVI) est resté à peu près in-
connu, malgré le compte rendu du baron Béthune.
2. Compte rendu de A. Tobler, *Li proverbe au vilain* (*Romania,*
XXV, 620).

Le Roux de Lincy (manque dans sa *Bibliogr. des prov.*, *ibid.*, t. II, p. 547 ss.).

B = Paris, Bibl. Nat., lat. 18184, fol. 143 v⁰ : *Incipiunt proverbia vulgalia et latina*. Ms. de la fin du XIIIᵉ ou du début du XIVᵉ s., renfermant 334 prov. rangés par ordre alphabétique, avec concordances bibliques.
Notice : Hauréau, *Not. et extr.*, VI, 61.

Ba = Paris, Bibl. Nat., lat. 13965, fol. 33 v⁰ : *Incipiunt dicta sive proverbia volgaria concordata auctoribus Biblie vel scriptorum* ; fol. 41 v⁰ : *Expliciunt proverbia volgaria* etc., *que satis sunt utilia*. Ms. de l'extrême fin du XIVᵉ s. [1397], contenant 345 prov. rangés et commentés comme dans *B*.

C = Cambrai, Bibl. de la Ville, 534 (anc. 493), fol. 244 : *Hic incipiunt proverbia vulgala* (sic). Ms. du XIIIᵉ s., à 2 col., contenant 229 prov. rangés et commentés comme dans *B Ba*.
Édition (avec notes) : Dʳ Coulon, dans *Mém. de la Soc. d'émulation de Cambrai*, t. LVI (1902), p. 1-174. Cf. *Bull. d'hist. ling. et litt. fr. des Pays-Bas* [a. 1902-3], Bruges, 1906, p. 130, n⁰ 138 (Béthune).

Ca = Cambridge, Corpus Christi Coll., 450, fol. 252 : *Cy commencent proverbes de Fraunce* ; à la fin : *Ici finissent bourdes, folies, et proverbe de Fraunce*. Ms. du XIVᵉ s. renfermant 420 prov. rangés par ordre alphabétique.
Description : M. Rhodes James, *A descr. Cat. of the MSS. in the Library of Corpus Christi College*, part. V, p. 370 (n⁰ 84).
Édition : Fr.-Michel, comme Appendice III du *Liv. des prov. fr.* de Le Roux de Lincy (t. II, p. 472-84).

Ch = Cheltenham, Bibl. Phillipps, 8336, fol. 96-107. Ms. du milieu du XIVᵉ s., contenant un recueil alphabétique de proverbes avec concordances bibliques.

Description : P. Meyer, dans *Romania*, XIII (1884), 497-541.

D = Paris, Bibl. Nat., lat. 14955, fol. 119 : *Incipiunt proverbia in gallico* (la table ajoute : *utilia ad predicandum*). Ms. du XIIIᵉ s., à 2 col., renfermant 62 prov. rangés par ordre alphabétique des initiales (au commencement, quelques prov. aux initiales M-Q), et pourvus de commentaires allégoriques (proverbes « moralisés ») [1].

Notice : Hauréau, *Not. et extr.*, IV, 112-131.

E = Paris, Bibl. Mazarine, 1030, fol. 149 vᵒ b : *Hic incipiunt proverbia in gallico*. Ms. du XIIIᵉ s., à 2 col., contenant 74 prov. rangés par ordre alphabétique des initiales et commentés comme dans *D*. Le recueil est suivi ou plutôt complété par les *Principia quorundam sermonum* (fol. 151), qui démontrent pratiquement comment l'on peut prendre des proverbes pour point de départ du sermon ; on y trouve encore une trentaine de proverbes.

Copie : le recueil de *E* a été transcrit (sans les commentaires) dans le ms. Bibl. Nat., fr. 24460, fol. 55-60 (XVIIᵉ s.).

F = Paris, Bibl. Nat., lat. 14799, fol. 278 vᵒ. Ms. du XIVᵉ s. à 2 col., contenant 64 prov. rangés et commentés comme dans *E* ou *D E*, et 25 prov. dépourvus de commentaires, dont une dizaine se retrouvent dans *E* parmi ceux des *Principia*.

Notice : Hauréau, *Not. et extr.*, III, 80-140.

Publication partielle : Le Roux de Lincy, *o. c.*, *passim* (cf. *ibid.*, II, 552).

G = Paris, Bibl. Nat., lat. 14929, fol. 248. Ms. de la fin du XIIIᵉ s., contenant environ 170 prov. classés par ordre

---

1. Un petit fragment, correspondant aux quatre premiers proverbes de *D*, se lit dans le ms. Arsenal 946, au fol. 78 b.

alphabétique [1] des matières et commentés la plupart du
temps comme dans *D E F*.

Notice : Hauréau, *Not. et extr.*, III, 341-3.

H = Hereford, Cathedral Close, P. 3. 3. *Proverbia vur-
galia* (sic) *cum cuncordanciis sacre scripture.* Ms. du XIVe s.,
renfermant, sur 3 ff. 1/2 non ch. à 2 col., 87 prov. et refrains
avec concordances bibliques.

Description : H. Schenkl, *Bibl. Patrum latin. britannica*,
Vienne, 1891, n° 4213.

I = Oxford, Digby, 53, fol. 8 : *Proverbia magistri Serlonis* ;
fol. 15 : *Diversa proverbia.* Ms. exécuté dans les premières
années du XIIIe s. et renfermant deux séries (32 + 21)
de prov. accompagnés des traductions de Serlon.

Description : P. Meyer, *Docum. mss. de l'anc. littér. de
la France conservés dans les Bibl. de la Grande-Bretagne*
(extr. des *Archives des Missions scient. et litt.*), 1re partie,
Paris, 1871.

Édition (avec notes et var.) : *ibid.*, Appendice B, p. 170
et 177 (cf. p. 142). Cf. *Zeitschrift f. franz. Spr. u. Litt.*, XXI, 1
(1899), p. 1 (E. Stengel).

J = Oxford, Rawlinson, A 273, fol. 96. Ms. du XIVe s.
renfermant 13 prov. accompagnés des vers de Serlon.

Description sommaire ; G. Macray, *Cat. cod. mss. Bibl.
Bodlei.*, t. I, p. 287.

Édition (avec notes et var.) ; E. Stengel, dans *Zeitschrift
f. franz. Spr. u. Litt.*, XXI, 1 (1899), p. 2.

K = Oxford, Rawlinson, C 641, fol. 13 v°. Ms. du XIIIe s.
à 2 col. Recueil de 114 prov., les 48 premiers étant accompagnés des vers de Serlon, les autres (49-114) dépourvus
de traductions.

1. Les feuilles, qui sont déplacées, doivent être remise dans l'ordre
suivant : ff. 253-60, 248-51; 262-5, 252, 261.

Description sommaire : G. Macray, *o. c.*, t. II, p. 329.

Édition (avec notes et var.) : E. Stengel (à la suite du recueil précédent), *art. cité*, p. 2-7.

K' = Oxford, Rawlinson, C 641, fol. 15 : [*C*]*i sunt li proverbe que dit li vilains*. Ce second recueil comprend 249 prov. dépourvus de traductions dont la plupart (env. 125) remontent aux *Prov. au vilain*.

Description sommaire : G. Macray, *o. c.*, t. II (*ibid*).

Édition : E. Stengel (à la suite du recueil précédent), *art. cité*, p. 7-13.

L = Leyde, Bibl. de l'Univ., Voss. lat. 31 F, fol. 114 : *Incipiunt proverbia rusticorum mirabiliter versificata*. Ms. du XIIIe s., à 2 col., provenant probablement de la région de Saint-Omer, et renfermant 269 prov. avec traductions latines indépendantes.

Notice : J. Zacher, dans *Zeitschrift f. deutsches Altertum*, XI (1859), p. 114. Cf. *Not. et extr.*, in-4, t. XXXVIII, p. 589 (cf. *ibid.*, p. 736).

Édition (avec var.) : J. Zacher, *art. cité*, p. 115-144.

M = Paris, Bibl. Nat., lat. 8246, fol. 105 b. Ms. exécuté vers 1286, insérant, au milieu d'un florilège latin, dix prov. français avec traductions latines indépendantes (sauf une) de celles de Serlon.

Pour la date du ms. voir *Romania*, XXIV (1895), 170.

N = Paris, Bibl. Nat., lat. 8653 A, fol. 16 vo : *Incipiunt versus proverbiales*. Ms. du début du XIVe s., cahier d'un écolier d'Arbois, renfermant 65 prov. franc-comtois avec traductions latines indépendantes, et 26 traductions d'autant de proverbes qui manquent dans le ms.

Description et édition : U. Robert, dans *Bibl. de l'Ecole des chartes*, XXXIV (1873), p. 33-46.

P = Paris, Bibl. Nat., fr. 25545, fol. 10 : *Ci commancent proverbes rurauz et vulgauz.* Ms. exécuté vers 1317, renfermant 489 prov. rangés partiellement (nos 89-321) suivant deux groupes d'initiales (A-H et I-V).

Descriptions et date du ms. : voir A. Långfors, dans *Romania*, XLIV (1915-17), p. 87.

Publication partielle : Le Roux de Lincy, *o. c., passim* (cf. t. II, p. 548).

Édition intégrale (avec références au *Liv. des prov.*, transcription selon l'ordre alphabétique, variantes et table) : J. Ulrich, dans *Zeitschrift f. franz. Spr. u. Litt.*, XXIV, 1 (1902), p. 1-35.

Q = Paris, Bibl. Nat., lat. 10360. Ms. du xve s., à 2 col., offrant, dans ses 642 pages [1], un choix d'env. 1.300 proverbes, sentences, locutions, brocards de droit, le tout rangé par ordre alphabétique et commenté par des passages empruntés aux Décrétales, au Digeste et à d'autres ouvrages de droit. Le recueil, intitulé *Bonum Spatium* [2], semble remonter à la 2e moitié du xive siècle.

Extraits : bon nombre de prov. de *Q* sont transcrits et commentés dans l'*Anthologie et conférence des proverbes françois, italiens, espagnols*, etc. (B. N., fr. 1599, xviie s.).

Publication partielle : Le Roux de Lincy, *o. c., passim* (cf. t. II, p. 557). Sur le ms. fr. 1599, voir *ibid.*, p. 555.

R = Rome, Vat., Reg. 1429. Ms. du xve s., renfermant, dans ses 161 ff., 798 prov. avec commentaires juridiques empruntés au droit canon et civil. Le recueil a été compilé,

---

1. Le vo de la page 625 porte, par suite d'une erreur de numérotation, le chiffre 630 (au lieu de 626).
2. Ce titre est fourni par l'épigraphe en tête du recueil :

> Ecce *Bonum Spatium*   merito liber iste vocatur,
> Tollit fastidium,   dat gaudia si videatur ;
> Raro maiores,   sed forte quicque minores
> Possent proficere   qui vellent ista videre.

probablement avant 1444, par Estienne Legris, chanoine de Lisieux.

Description et édition (avec notes) : E. Langlois, dans *Bibl. de l'Ecole des chartes*, t. LX (1900), p. 569-601.

S = Paris, Bibl. Nat., fr. 12441 (anc. Suppl. franç., 201), fol. 65 v° : *Cy parés s'ensieuvent pluseur proverbes en françois et procedent selon l'ordre de l'a. b. c.* Ms. de 1456, contenant un recueil de 334 proverbes, dictons et sentences octosyll. rangés par ordre des lettres initiales. Recueil compilé par Jehan Mielot, chanoine de Lille, et dédié à Philippe le Bon, duc de Bourgogne.

Description sommaire : Le Roux de Lincy, *o. c.*, II, 547.

Publication partielle : *ibid., passim.*

Édition intégrale (avec références au *Liv. des prov.*) : J. Ulrich, dans *Zeitschrift f. franz. Spr. u. Litt.*, XXIV, 1 (1902), p. 191-199. Cf. le *Bulletin* cité plus haut *(C)*, p. 163, n° 172 (Doutrepont).

T = Tours, Bibl. de la ville, 468, fol. 178 : *Incipiunt proverbia et versus proverbiorum.* Ms. du xve s., contenant 175 prov. et refrains avec traductions latines dont 28 proviennent de Serlon. Le recueil remonte probablement à la 2e moitié du xiiie s.

Notice : L. Delisle, dans *Acad. des Inscriptions et Belles-Lettres*, compte-rendu de la séance du 27 nov. 1868, p. 395-405. Cf. *Bibl. de l'Ecole des chartes*, XXIX (1868), p. 598-607.

Édition (avec notes et var.) : A. Hilka, *Beitr. zur Fabel-und Sprichwörterliteratur des Mittelalters* (tirage à part du 91e *Jahresbericht der Schles. Ges. f. vaterl. Cultur, Sitzung der Sektion f. neuere Philologie* vom 11. Dez. 1913), Breslau, 1914. Cf. *Romania*, XLVIII (1922), 479.

U = Upsal, Bibl. de l'Univ., C 523, fol. 148 v° : *Versus de diversis materiis.* Ms. du xive s., provenant peut-être du pays messin. Recueil de 175 prov. et refrains, à peu près identique à *T*.

Édition (avec notes et var., mais sans les vers latins) : P. Högberg, dans *Zeitschrift f. franz. Spr. u. Litt.*, XLV (1919), p. 469-71 (cf. p. 476). Cf. *ibid.*, XLVII (1924), p. 72 (A. Hilka).

U' = Upsal, Bibl. de l'Univ., C 523, fol. 163. Ce second recueil comprend 277 prov. rangés et commentés comme dans *B Ba C*.

Édition : P. Högberg (à la suite du recueil précédent), *art. cité*, p. 472-6 (cf. p. 480).

X = Paris, Bibl. Nat., lat. 603, fol. 42. Ms. du XVᵉ s., provenant probablement de la Normandie et renfermant 47 prov. qui commencent tous par la lettre A.

Notice : Le Roux de Lincy, *o. c.*, II, 550.

Z = *Les prouerbes cōmuns selon lordre de l'a. b. c. Et premierement ceulx qui commencent par .a.* A la fin : *Cy finiēt les prouerbes cōmuns qui sont en nombre sept cens quatre vingtz et deux*. Édition s. l. n. d. [Paris, Pierre Levet] de 17 ff. (chiff. a.i-c.ii) à longues lignes au nombre de 28 à la page. Recueil à peu près identique à *R*, sauf les commentaires qui manquent à *Z*.

Notice : M. Gratet-Duplessis, *Bibliographie parémiologique*, Paris, 1847, p. 117, nº 232, 2. Cf. Brunet, *Manuel*, III, 850 ; Le Roux de Lincy, *o. c.*, I, XXXVI.

2º *Pièces à proverbes.*

v = *Proverbes au vilain.* Six mss. de la fin du XIIIᵉ s. *(VFα, VA, VFγ, VFβ, VH, VD)* renfermant en tout 280 couplets et 285 prov.

Notices : Le Roux de Lincy, *o. c.*, II, 551, 563, 555, 553.

Publication partielle : *ibid.*, Appendice II, p. 457-470 (*VD*), et *passim.*

Édition intégrale : A. Tobler, *Li proverbe au vilain. Die Sprichwörter des gemeinen Mannes, nach den bisher bekannten Hss.*, Leipzig, 1895, 188 p. Cf. *Romania*, XXV (1896), 618-20 (G. Paris) ; *Zeitschrift f. franz. Spr. u. Lit.*, XX, 2 (1898), p. 118-38 (E. Stengel).

Bret. = *Proverbes au comte de Bretagne.* Ms. Bibl. Nat., fr. 19152, fol. 114 v°. Poème en 54 couplets terminés chacun par un proverbe ou une sentence.

Copie : les couplets xv, xix, xx, xxi, xxiv, xxvi et xxx ont été transcrits dans le ms. B. N. fr. 15111, p. 363 (xviiie s.).

Édition intégrale : A. Crapelet, *Proverbes et dictons populaires*, Paris, 1831, p. 169 ; Dr. J. Martin, *Die Proverbes au Conte de Bretagne, nebst Belegen aus germ. und roman. Sprachen*, Erlangen, 1892, 37 p. (progr. de la *Kgl. Bayer. Studienanstalt zu Erlangen*). Cf. *Romania*, XXII (1893), 175.

Resp. = *Li respit del curteis e del vilain.* Ms. Oxford, Seld supra, n° 74, fol. 35 v° (xive s.). Poème en 48 couplets terminés chacun (sauf les 5 derniers) par un proverbe. Le titre est fourni par le c. 44.

Édition : E. Stengel, dans *Zeitschrift f. franz. Spr. u. Litt.*, XIV, 1 (1892), p. 154-8.

II. — CLASSEMENT DES RECUEILS [1].

La plupart de ces recueils de proverbes peuvent se ramener à quatre groupes principaux : Serlon, *v, a* et *d*.

Les proverbes de Serlon (*s*) forment le substrat des recueils de proverbes français-latins (excepté *N*). *I* et *J*

1. Cf. *Romania*, XLVIII (1922), p. 481-558.

ne donnent encore que des vers de Serlon avec les proverbes
français correspondants ; à ce fonds, *K* ajoute une série
de proverbes dépourvus de vers latins et étrangers à Serlon ;
t (= *T U*) y ajoute une autre série de proverbes accompagnés de traductions propres. *L* et *M* n'ont plus que
de vagues rapports avec Serlon ; *N* en est indépendant.

Quant aux *Prov. au vilain* (*v*), il y a peu de recueils
qui ne leur doivent quelque chose : *A K L R* et le groupe *d*
lui ont fait de nombreux emprunts, peut-être aussi *Ca*,
X et *t*, tandis que *K'* et *P* nous ont conservé les proverbes
de deux versions perdues de *v* (*VK'* et *VP*), assez rappro-
chées, quant aux variantes et à la succession des proverbes,
de *VD*, resp. *VA*.

Le groupe *a*, représenté par *B Ba*, *C Ca* et *U'* (peut-
être aussi *Ch*), se subdivise en *b* (*B' Ba*), *c* (*C Ca*), et *U'*
qui oscille entre *b* et *c*, mais se rapproche plutôt de *c*. La
plupart des proverbes du groupe *a* remontent à un recueil
primitif (*O*), probablement anglo-normand. A ce fonds
commun (*x*), *b* ajoute des proverbes français, *Ca* des proverbes anglo-normands nouveaux. Au groupe *a* se rattachent les autres recueils alphabétiques de proverbes, soit
Q, *R Z* et *X* (qui remontent, en dernier lieu, à des versions normandes du type *a*), mais même les recueils
qui rangent leurs proverbes uniquement par ordre des
lettres initiales (*A*, *d*) ont encore de nombreux points de
contact avec *a*. *Q*, qui se rapproche plus particulièrement
de *Ca*, ajoute au fonds *x* des proverbes normands (et fla-
mands ?), ainsi qu'un grand nombre de locutions, brocards
de droit et des sentences dont une vingtaine remontent
aux *Diz et proverbes des sages* ; *R*, qui se rapproche plutôt
de *b*, ajoute, outre des proverbes locaux (normands) une
quarantaine de « proverbes » au vilain (provenant de
VR) et bien des proverbes d'une date relativement récente.
La composition de *Z* est identique à celle de *R*. — Enfin,
la plupart des « proverbes » au comte de Bretagne sont tirés
du groupe *a*.

H, malgré certains points de contact avec le groupe *a*, semble en être indépendant (notons que *H* n'est pas un recueil alphabétique). Quelques proverbes et variantes de *H* se retrouvent dans *P*.

Le groupe *d*, représenté par *D E F G*, se subdivise en *E F* d'une part, *D G* de l'autre. Les proverbes de ce groupe procèdent en grande partie des groupes *a* et *v*.

A ce groupe se rattache *A* qui combine les proverbes de *d* (surtout *E*) avec des proverbes de *a* et *v* (inconnus à *d*), tout en insérant plus de 200 proverbes et locutions inconnus à *a d v* (et en partie à tous les autres recueils).

Les recueils sans commentaires se rattachent pour la plupart à des recueils commentés, soit à un groupe déterminé (*Ca K' X Z*), soit à plusieurs groupes à la fois (*P*).

P est une compilation où l'on distingue nettement quatre séries de proverbes : dans la 1re (nos 1-88) et dans la 4e (nos 247-321), les proverbes se suivent sans ordre ; dans la 2e (nos 89-190) et 3e (nos 191-246), ils sont répartis suivant les deux groupes de lettres initiales : A-H et I-V. Dans la première série ont été intercalés, entre autres, une vingtaine de proverbes de Serlon (nos 17-36) ; la seconde remonte en majeure partie à une version perdue (*VP*) du groupe *v*.

Dans *S*, où tous les proverbes sont de huit syllabes, il y en a au moins 90 qui remontent à des poèmes en octosyllabes (la *Dance Macabré* a fourni, à elle seule, 70 proverbes).

III. — COMPOSITION DU PRÉSENT RECUEIL.

Nous avons utilisé 29 recueils (18 publiés et 11 inédits), y compris les *Proverbes au comte de Bretagne* (hormis les sentences [1]). Par contre, nous avons dû renoncer à utiliser

---

1. Ces proverbes se rattachent du reste au groupe *a*, puisqu'ils se retrouvent presque tous dans ce groupe, resp. dans *A* (voir les nos 136, 394, 474, 476 s., 479, 489, 670, 816, 1081, 1369, 1374, 1556, 1614, 1786,

le recueil du ms. de Cheltenham (*Ch*), dont nous n'avons pu nous procurer une reproduction ou une copie. Cette lacune n'est pas d'ailleurs bien grave, car *Ch* se rattache au groupe *a*, déjà représenté par cinq mss. (*B Ba C Ca U'*). J'ignore s'il existe encore, quelque part, d'autres recueils inédits de proverbes.

Il est clair que nous n'avons pas pu accueillir, indistinctement, tout ce qu'il y avait dans nos 29 recueils. En principe, seuls en ont été admis les *proverbes français antérieurs au XV*[e] *siècle*. C'est pourquoi on ne trouvera, dans ce répertoire, ni locutions (*A Q S*) [1], ni refrains (*H T U*) [2], ni axiomes de droit (*Q*)[3], ni même des proverbes d'un caractère trop sentencieux [4], qu'ils remontent à la Bible [5], aux *Diz et proverbes des sages* [6], au dialogue de *Salomon et*

1824, 1829, 1937, 2004, 2169, 2226, 2328, 2459). On peut rapprocher également les n°s 265 et 845, 300 et 243, 1085 et 1209, 2437 et 2422 (ou 2424). Il est donc certain que l'auteur de *Bret.* s'est servi pour ses proverbes d'un recueil du type *a* (en y ajoutant de nombreuses sentences).

1. Quelques locutions existant aussi sous forme de proverbe sont citées en note du numéro porté par le proverbe (cf. 1490). Nous avons cependant admis les locutions qui pouvaient à la rigueur s'employer aussi comme proverbes (p. ex. 338, 749, 1551 ss.).

2. Les refrains de *H* et de *T* (= *U*) ont été imprimés à part (*Romania*, *art. c.*, p. 496, 513). Nous avons aussi omis *R* 511, qu'on peut rapprocher d'un refrain de *Q* (*Ge aymeray le beau Robin tant comme son argent luy dure*). Peut-être les n°s 894 et 1441 de notre répertoire ont-ils été de même, à l'origine, des refrains.

3. Sauf ceux qui depuis longtemps avaient la valeur d'un simple proverbe (cf. 140).

4. Par ex. *P* 65, 66, 78, 80-83, 87, 195, 233.

5. Ainsi, nous avons omis *K'* 308 et *P* 82, 86, mais admis quelques proverbes d'un caractère plus général et qui ne sont pas exclusivement bibliques, comme 589 (*Eccl.* X, 16), 603 (*Prov.* XV, 1), 1891 (*Apoc.* XIII, 10), 1981, (*Joan.* III, 20), 2161 (II *Thess.* 11, 7), 2456 (I *Cor.* v, 6 *Gal.* V, 9).

6. Par ex *P* 205-6, 246, 262, 299, 301, 350 ; *R* 461, 642, ainsi qu'une vingtaine de proverbes de *Q* (cf. J. Morawski, *Les Diz et proverbes des sages* [*Bibl. de la Fac. des Lettres*, 2e série, fasc. II], Paris, 1924, p. XLVI LII ; 103-120, *passim*).

Marcoul [1] ou à toute autre source littéraire [2]. D'autre part,
nous avons écarté les proverbes non-français [3], ainsi que les
proverbes français postérieurs au XIVe siècle. Pour décider
si tel proverbe, attesté seulement dans des recueils du
XVe siècle, avait droit de figurer parmi ceux des XIIIe et
XIVe, nous avons eu recours à la dissertation de W. Fehse [4]
et à nos propres fiches. Quelques proverbes, sans être
formellement attestés avant le XVe siècle, nous ont paru
suffisamment archaïques pour pouvoir être admis comme
tels [5]. Un assez grand nombre ont été cités en note, à titre
de variantes modernes [6]. Il n'en restait pas moins environ
300 proverbes douteux portant plutôt l'empreinte du
XVe siècle, mais dont une grande partie pourrait très bien
remonter à la 2e moitié du XIVe. Un dernier triage nous a

---

1. Par ex. *K'* 231 et *VH* 42 (éd. Tobler, 34) qui proviennent des str. 105
et 77 de l'édition Méon. Après coup, nous nous sommes aperçu que les
n°s 596 et 2108 de notre répertoire remontent à la même source, tandis
que le n° 2173 qui offre la même structure ($a^5 a^5 b^5$) pourrait bien remonter
à quelque version inédite du fameux dialogue.

2. Nous avons naturellement omis les proverbes de *S* extraits de la
Danse Macabré (sauf 2447 qui est un proverbe banal) ou d'autres poèmes.
Le n[o] *L* 92, fort mal compris par Zacher (au v. 2, lire : *Porta li acharboz
a Rins*) est certainement extrait de quelque *resverie*. Nous n'avons pas
réussi à identifier *P* 84 (quatrain alex., corrompu au v. 3), ni *P* 226
(distique alex.), ni *P* 243 (trois vers décasyll.). — Parmi les proverbes
que nous avons admis, les n°s 79 et 80 sont des paraphrases d'une str.
Des femes, des dez et de la taverne (cf. Barbazan-Méon, IV, 487), tandis
que les n°s 1257, 1440, 1590, 2457 remontent peut-être aux poèmes cités
en notes.

3. C'est-à-dire anglais (*I J K*) et latins (qui, la plupart du temps, ne
sont que des traductions de proverbes français).

4. *Sprichwort und Sentenz bei Eust. Deschamps und Dichtern seiner
Zeit* ; Berlin, 1905.

5. Les proverbes plus récents sont souvent reconnaissables : ainsi, les
prov. commençant par *Il est fol, Il vaut mieus* sont postérieurs à ceux qui
commencent par *Fous est, Mieus vaut* ; ceux qui commencent par *Ce
n'est, Ce que, Ce qui* à ceux commençant par *N'est, Que, Qui*. Mais tout
cela est très relatif.

6. Ainsi, le prov. *Necessite n'a loi* est cité en note du prov. *Besoing ne
garde loi* (237) dont il est l'équivalent moderne ou savant.

permis de porter le nombre total des proverbes admissibles
à 2.500 ; nous nous sommes arrêtés à ce chiffre.

Les 2.500 numéros qui constituent notre répertoire représentent environ 2.000 proverbes différents ; ils ne représentent pas le nombre total des proverbes et variantes qui
avaient cours au moyen âge et dont l'existence nous est
attestée par les textes littéraires. Ainsi, on ne trouvera dans
aucun de nos recueils le proverbe *Chaz saous s'anvoise* [1], ou
Chate trop privee a la pel brullee [2], ou encore *Cuidars et
Esperars furent dui musart* [3]. Toutefois, nous ne croyons
pas nous tromper en affirmant que les proverbes les plus
usités s'y retrouvent à peu près tous, généralement sous
plusieurs formes, et naturellement aussi bien des proverbes
peu usités ou même inconnus aux textes.

Particularités métriques. — On remarquera que beaucoup
de proverbes présentent une forme rythmique déterminée :
vers de 8, 10 ou 12 syllabes, ou distiques [4]. Il se pose
pour ces proverbes la même question que pour la plupart
des refrains [5] — qui d'ailleurs tenaient parfois lieu de
proverbes [6] et, à ce titre, ont été admis dans quelques
recueils —, savoir s'ils n'ont pas une origine littéraire. On

---

1. Cf. *Yvain*, 594. Il est possible, cependant, que le prov. *Chat seul
est sanz noise* (374) doive être rectifié en *Chat sauleis s'anvoise*.

2. Nic. de Biart, *Dict. paup.* (s. v. *De virginitate*).

3. Cf. A. Tobler, *Verm. Beitr.*, II, 207.

4. Il arrive aussi que plusieurs proverbes se suivant dans le même
recueil riment entre eux, par ex. *P* 276-8 (trois alex. monorimes), *Q* 16-17
(= *Rec.*, 31-2), *S* 154-9. Les trois prov. de *P* (nous n'en avons admis que
deux ; cf. *Rec.* 1333, 1352) remontent sans doute à une même source, et
l'éditeur aurait dû les placer sous le même numéro (cf. *P* 243) ; quant aux
six prov. de *S*, il s'agit de dictons extraits, comme nous l'avions supposé
(cf. *Romania*, art. *c.*, p. 552), de quelque poème relatif aux villes de
France (cf. le *Dict des pays*, dans *Rec. de poés. fr.*, V, 115 s. et 111 s., où
Salins : Prouvins).

5. Cf. A. Jeanroy, *Origines*, p. 110.

6. Cf. l'*Art d'aimer* en prose, analysé par G. Paris (*Hist. litt.*, XXIX,
472-485).

pourrait se demander, en particulier, si les alexandrins, qui abondent parmi les proverbes, ou les couplets d'octo-syllabes n'ont pas été extraits de poèmes en vogue. Cela est probable pour quelques proverbes d'un caractère sen-tencieux [1], quoi qu'on ne puisse que rarement en indiquer la source [2]. D'autre part, il ne faut pas oublier que beau-coup de proverbes ont pu être altérés par les copistes habitués à écrire en vers ou désireux de trouver une forme qui pût être retenue facilement [3]. Aussi bien, les pro-verbes rimés ou rythmés sont très souvent des formes secondaires, c'est-à-dire des remaniements [4] ou des déve-loppements [5] de proverbes dépourvus de rime ou de rythme. Toujours est-il qu'on relève des décasyllabes [6],

1. Cf. les alex. 193, 770, 778, 825, 930, 1377, 1763, 1792, 2268, 2487 (sur 1333 et 1352, voir p. xvi, n. 4).

2. Sur un prov. de Q, voir *Romania, art c.*, p. 529, n. 1 ; sur le n° 1440, cf. plus haut, p. xv, n. 2 Quelquefois, c'est le nombre des sources possibles qui embarrasse ; le n° 71, par ex., qui a tout l'air d'une citation, se lit : 1° dans un poème de Rutebeuf (éd. Kressner, p. 228, v. 103) ; 2° dans l'*Hist. de Fauvain* (éd. Lǎngfors, v. 70) ; 3° dans l'*Art d'aimer* cité plus haut (*o. c.*, p. 482). Même remarque pour 1891 Q R.

3. Dans S, le vers de 8 syllabes a été généralisé ; dans P, presque la moitié des proverbes sont rimés ou soumis à un rythme déterminé. — L'inverse peut se produire également ; ainsi, il suffit au n° 287 de lire *li uns*, aux n°ˢ 869 et 1431 de supprimer dans l'un l'art. *du*, dans l'autre l'art. *le*, pour obtenir des vers alexandrins, et au n° 1356, de lire *qu'est* pour obtenir un vers de 10 syllabes. D'autre part, on obtient une rime : au n° 1659 en remplaçant *rien* par *neant* (: *truant*), au n° 2213 en lisant *vet* (: *scet*), au n° 2367 en faisant rimer *dent* avec *talent* (cf. la var. de G. Meurier, dans Le Roux de Lincy, II, 423), comme au n° 1231 (qui correspond au prov. moderne : « L'appétit vient en mangeant »).

4. Cf. les var. 37 R, 145 R, 151 X, 269 R, 315 R, 422 VA, 440 U', 504 Z, 516 VD, etc. Le n° 194 est le remaniement poét. de 50, 614 de 610 (ou 967), 985 de 450, 1306 de 2307, 1352 de 1048.

5. Cf. les var. 100 GP, 273 R, 1199 R, 1321 Q, 1668 DG (asson.). Le n° 859 est le développement poét. de 2034, 2091 de 398, etc.

6. Sauf que dans les vieux recueils la césure est placée généralement après la cinquième syllabe (cf. 19, 72, 142, 219, 247, 268, 405, 440, 458 s., 481, 540, 545, 672, 684, 690, 729, 792), et n'apparaît que rarement après la troisième (46) ou la quatrième (443, 631). Au contraire, dans les recueils

alexandrins [1], etc., dans les recueils les plus anciens, et quelquefois à l'exclusion d'autres formes non-rythmiques.

Les proverbes rimés se composent généralement d'un couple [2] de vers égaux de trois à huit syllabes [3], mais on rencontre aussi, fréquemment, des vers inégaux surtout d'une syllabe, depuis 2 + 1 (1229) jusqu'à 9 + 10 (2332) [4]. Il est vrai qu'on peut souvent obtenir l'égalité en supprimant ou en ajoutant une syllabe, mais ces changements ne s'imposent que dans quelques vers longs [5]. Parmi les schémas plus compliqués c'est la tripartition qui prédomine [6],

postérieurs, la césure épique est de beaucoup la plus fréquente (cf. pour *Q* : 306, 612, 732, 740, 861, 894, 918 ; pour *R* : 195, 381, 383, 416, 466, 504, 584, 838). L'étape intermédiaire est représentée par *P* où les deux césures se présentent à peu près en nombre égal. D'autre part, il est instructif de comparer : 440 [*A*] avec 440 *U'*, et 1469 [*L*] avec 1469 *P* (*U'* et *P* déplacent la césure en la mettant après la 4e syllabe). — Rappelons que la césure après la 5e syllabe se retrouve notamment dans la poésie populaire (cf. A. Tobler, *Versbau*, 4e éd., p. 102).

1. Cf. 276, 299, 313, 446, 581, 618, 691, 708, 837, 839, 866, 976, etc. — En remplaçant, dans le premier hémistiche d'un vers de 10 ou 12 syllabes, la césure par la rime (ou l'assonance), on obtient un couple de vers de 5 ou 6 syllabes, formes fréquentes parmi les vieux proverbes.

2. Plus rarement de deux couples de trois (532), cinq (1121 *G* ; cf. la note), six (1730) ou huit syllabes (1419 *T* ; cf. la note). Quelquefois, un seul couple rime, tandis que l'autre assonne (1436, 2327). Sur le no 80 (a⁴ a⁴ b⁶ b⁶), voir p. xv, n. 2.

3. Les vers disyllabiques sont très rares (cf. 1571, et peut-être 2098 en lisant *voint*) ; les vers de trois syllabes sont déjà fréquents (cf. 30, 417, 533, 562, 600, 679, 720, 791, 804, 807, etc.) ; les exemples deviennent rares à partir de neuf syllabes (1443). On trouve des vers de 10 syllabes aux nos 286 (cf. la note), 1065, 1415, 2342 *K'*, 2417 *P*.

4. En passant par les étapes (plus ou moins fréquentes) : 2 + 3 (812), 3 + 2 (73 ; cf. 75), 3 + 4 (248), 4 + 3 (156), 4 + 5 (388 *Ba*), 5 + 4 (102), 5 + 6 (223), 6 + 5 (334), 6 + 7 (95), 7 + 6 (973), 7 + 8 (21), 8 + 7 (97), 8 + 9 (?), 9 + 8 (1501).

5. Par ex. au no 900. Au no 1462, il suffit de remplacer *de quoi* par *dont* pour obtenir deux vers de neuf syllabes = 1443.

6. Abstraction faite des proverbes composés de deux couples de vers (cf. plus haut), nous n'avons rencontré que deux exceptions douteuses (encore n'y a-t-il pas, à proprement parler, de schéma) : a³ b³ b⁴ a⁴ (1545), et a⁴ a³ a³ a³ b³ (1950).

soit que la même rime revienne trois fois, par ex. a^2
a^2 a^4 (1010), a^3 a^3 a^6 (2229) [1], a^3 a^3 a^7 (1040), a^4 a^4 a^4
(303'), a^2 a^4 a^4 (2138), ou deux fois seulement [2], par ex.
a^2 a^2 b^6 (588), a^3 a^3 b^5 (126), a^3 a^3 b^6 (482, 663), a^4 a^4 b^5
(1348 ; cf. 1663), a^4 a^4 b^7 (1197) [3] ; soit qu'on se contente
d'une triple (1304, cf. la note) ou double (508, 513, 669)
assonance. Plus rarement, la tripartition est marquée par
l'allitération [4], ou simplement par la cadence [5]. Nous avons
laissé de côté les formes, toutes littéraires déjà, a^5 a^5 b^5
et a^6 a^6 b^6 (demi-strophes couées proprement dites) ; en
effet, les proverbes appartenant à ces deux formes ont
presque toujours une origine littéraire certaine [6].

Les rimes sont généralement pauvres ; souvent, on se

1. Il est clair qu'on peut aussi faire de a^2 a^2, resp. a^3 a^3 un seul vers
(a^4, a^6) avec rime intérieure (cf. 266= 1396, 1306). Sur le n° 79 (a^8 a^8 a^8),
voir p. xv, n. 2.

2. Cette forme de la tripartition, plus fréquente, se rencontre aussi
dans quelques proverbes latins, par ex.

    Omnis homo   quacumque domo   qua sede fruatur,
    Provideat   quando taceat   vel quando loquatur.

(*Facetus*, éd. Morawski, p. 14, 128 e). Sur l'origine de cette forme,
voir A. Jeanroy, *o. c.*, p. 364. Dans nos proverbes, elle résulte quelquefois d'un vers long (28 *X*, 719 *VH*) ou d'une addition faite à un couple
de vers plus courts (1360 *Var.*).

3. Nous laissons de côté des formes irrégulières, comme a^3 a^4 b^6 (1202),
a^4 a^6 b^4 (1113), a^5 a^7 b^5 (1112). Parfois, un petit changement suffit pour
rétablir la symétrie : au n° 303, en supprimant *elle*, on a : a^4 a^4 a^4 ; au
n° 464, on peut corriger soit *gaaigner*, soit *et espargner* (= *Z*) : dans le
premier cas, on obtient a^5 a^5 b^4, dans le second a^4 a^4 b^4. — La forme
a^3 a^3 a^5 se cache peut-être sous le n° 982 : *Je ne croy (pas) ce que j'oy
(dire), maiz ce que je voy*.

4. *Qui a le cul* pailleux — *a tous jours* paour — *que le feu n'y* prenne
(1801).

5. *Li leus ala a Romme — la laissa de son poil — (et) neant de ses cous-
tumes* (1089). Cf. aussi 998 (3 + 3 + 5), 2312 (6 + 6 + 7).

6. Sur les n°^{os} 596, 2108, 2173, voir p. xv. Le n° 1844 (a^6 b^6 b^6)
remonte sans doute à un poème offrant cette même structure, probablement une version perdue de *v*, ou des *XXII manieres de vilains* (cf.
Romania, XLVIII, 262, v. 98–101).

contente de l'assonance [1] qui n'est pas nécessairement un signe d'ancienneté dans les proverbes. On trouve cependant quelques rimes riches, voire équivoques (p. ex. 731, 1501, 1901, 1978, 1992, 2492) [2]. Quelquefois, le même mot est répété à la rime (1040, 1230).

Établissement du texte. — Après avoir fixé le nombre des proverbes admissibles, il importait de les classer de manière à en faciliter la recherche. La disposition par ordre de matière a des inconvénients évidents : elle donne lieu à des redites et ne s'adapte que difficilement aux proverbes dits « moraux » [3]. Restait l'*ordre alphabétique*. On ne pouvait songer à régulariser l'orthographe de proverbes qui appartiennent à des régions et époques différentes. Appliquer l'unification orthographique seulement aux premiers mots de chaque proverbe, eût été une solution boiteuse. Le seul moyen de respecter la graphie de chaque recueil sans compromettre l'ordre alphabétique était de n'appliquer l'unification qu'en théorie, c'est-à-dire de laisser se suivre les proverbes comme ils devraient le faire dans un recueil homogène, écrit en français du XIIIe siècle. C'est ce procédé que nous avons adopté. Nous ne ferons donc pas de différence entre *Li*, *Le* et *Les* quand ces trois formes représentent le cas sujet de l'article masc., ni entre *Li uns* et *L'un* (cas sujet), ni entre *Fous* et *Fol* (c. s.), *Teus*

---

1. Voici des exemples pour les différentes assonances rencontrées dans nos proverbes (les italiques désignent des assonances féminines) : *a* (906, *794*), *e* < a (6, *730*), *è* (608, *514*), *i* (1, *382*), *ô* (149, *51*), *ó* (310, *308*), *u* (1336, *1289*) ; *ei, oi* (1693, *1694*), *eu* (2133), *ue* (1940), *ié* (118), *ā* (92), *ē* (1610, *1203*), *ô* (2444, *395*), *iè* (76). On trouve aussi des assonances mixtes (467 *VFa*, 1802).

2. Parfois on accumule les rimes (cp. 1950) ; au n° 1586, il y a quatre mots rimant en *ent*.

3. Aussi Le Roux de Lincy les a-t-il rangés, dans sa série n° XIV, suivant l'ordre alphabétique (cf. le *Liv. des prov. fr.*, II, 225-436). — D'ailleurs, notre *Index* en groupant les proverbes se rapportant au même objet remplace en quelque sorte la disposition par ordre des matières.

et *Tel* (c. s.), etc. Nous réunissons de même *Ge* et *Je*, *Kant*, *Ki* et *Quant*, *Qui*, *Len* et *On*, *Tous* (sujet pluriel) et *Tuit·* Les changements éventuels sont indiqués dans les *Notes*.

Les *Proverbes* sont reproduits d'après les meilleurs manuscrits (ou groupes de mss.) dont les sigles sont cités en regard. Par « meilleurs manuscrits » j'entends le meilleur manuscrit de chaque groupe [1] ou — s'il y a des manuscrits appartenant à des groupes différents — le meilleur de ceux qui entrent en ligne de compte (généralement le plus ancien [2]). Les proverbes et variantes attestés seulement dans des recueils (et textes) anglo-normands sont précédés d'un astérisque. Les doublets de *A* sont cités séparément et réunis par des renvois. Le même système de renvois a été appliqué aux proverbes apparaissant sous deux ou trois formes différentes, exceptionnellement aussi aux proverbes synonymes [3].

Les *Variantes* ont été réparties autant que possible suivant les groupes, les variantes appartenant au même groupe (p. ex. *a*, *v*) étant réunies sous le même numéro. Cette division logique ne pouvait, naturellement, être appliquée à toutes les variantes. Il fallait notamment éviter l'accumulation des variantes sans tomber dans l'accumulation des renvois. Et quoique de ces deux maux le second nous semble le moindre, nous avons cherché à éviter l'un et l'autre. Aussi avons-nous quelquefois dérogé à notre principe en répartissant sous deux numéros les variantes

---

1. Sauf le cas de corruption ou de remaniement ; ainsi, nous avons quelquefois préféré *VA* à *VFα*, par ex. aux n⁰ˢ 772 et 843, où la leçon de *VFα* est certainement remaniée, ou au n⁰ 1576, où elle est corrompue.

2. Nous avons cependant préféré, *ceteris paribus*, les formes françaises aux formes anglo-normandes, et la leçon de *A* à celle de *VFα* (dont l'orthographe avait été régularisée par Tobler).

3. Mais non aux proverbes faisant emploi de la même rime (cf. 334, 581 *Q*, 1262, 1378), de la même formule (cf. 240, 291 ; 804, 807, 812 ; 432, 1001, 1208, 1228, etc.), ou de la même construction (cf. 1224, 1324), sauf quand il y a, en plus, un rapport de fond, comme entre 1324, 2200 et 2484.

trop encombrantes d'un même groupe [1] ou en réunissant sous le même numéro des variantes appartenant à des recueils hétérogènes, mais n'offrant point de divergences notables. Nous avons négligé les variantes purement graphiques sauf quand elles présentaient quelque intérêt philologique (cf. nᵒ 2160). Pour *Q* nous donnons, s'il y a lieu, les variantes fournies par les renvois du manuscrit.

Les *Notes* ont pour but : 1ᵒ de montrer que tel proverbe est plus ancien que ne le ferait supposer la date du recueil ; 2ᵒ de renvoyer, pour les proverbes rares ou obscurs à des textes, de préférence classiques, susceptibles d'en éclaircir le sens. Pour ne pas grossir le livre, nous nous sommes abstenus d'alléguer les commentaires, tant anciens [2] que modernes [3], auxquels nos proverbes ont donné lieu. C'est pour la même raison que nous nous abstiendrons de tout rapprochement avec des proverbes étrangers, malgré l'intérêt que ces rapprochements peuvent offrir [4].

1. Cf. 168 et 2431 (ici, la division est justifiée par le fait que *Z* donne, à lui seul, les deux variantes). Nous avons de même séparé les variantes trop *disparates* d'un même groupe (cf. 21 et 897). — Quand il y a plusieurs variantes de texte, les formes secondaires (ou réputées telles) renvoient toutes à une forme principale, laquelle renvoie à toutes les autres. Ainsi, les prov. *Au desoz est qui prie (HPX)* et *Mar fu nés qui prie (VA)* renvoient tous deux au nᵒ 591 : *Dolenz celui qui rueve (VFz)* lequel, de son côté, renvoie aux deux autres (176, 1193).

2. Nous nous réservons de publier plus tard ces anciens commentaires.

3. Pour les proverbes de *v* nous renvoyons, une fois pour toutes, à l'édition de Tobler. Voir aussi notre article *Locutions et proverbes obscurs*, dans *Romania*, L (1924), 499.

4. Pour donner une idée de la variété de ces rapprochements, nous ne citerons que ces quelques exemples : le nᵒ 1426 se retrouve textuellement chez Hending (C 30) : *With silverine stike man scal golde grave* ; le nᵒ 1667 se lit déjà dans Plutarque (éd. Didot, t. III, p. 609) : *Natura... linguam vallo coercuit, positis ante eam praesidii loco dentibus*, etc. ; le nᵒ 1801 existe encore en Italie, sous la forme : *Chi a la coda di paglia a sempre paura che gli pigli foco* (cf. Petrocchi, *Novo Dizion. univ.*, s. v. CODA) ; au nᵒ 2444 correspond le proverbe espagnol : *Dos ruines* (vils) *y dos tizones nunca bien los compones* (H. Nunez, *Refr. o prov.*, éd. de Madrid, 1804, I, 336) ; au nᵒ 2476, le proverbe flamand : *Olde leerse behoeven vele*

L'*Index* contient le mot caractéristique pour chaque proverbe, ce mot désignant de préférence un objet concret (outil, animal, etc.).

smeers (Indiget arvina sepe senex ocrea) ; cf. H. v. Fallersleben, *Altniederl. Sprichw.*, Hanovre, 1854, n° 575). Pour d'autres rapprochements, voir *Romania*, L, 499 sq.

———

A

A aise... *Voir* Aise...

1 A anz et dis vient eve a fil.   *L*
2 * Abai de chien ne munte al cel.   *K*
3 A barbe de fol aprent on a raire.   *Z*
4 Abbé, pluye moynes et villains ennuye.   *Q*
5 A belle heure pot au feu.   *Q*
6 A bien amer a face pert.   *VH*
7 A bien faire est l'esploit.   *Q*
8 A bon cheval bon gué.   *R*
9 A bon demandeor bon escondiseor.   *A*
10 A bon jour bone euvre.   *b*
11 A bon marchiet bien vivre.   *P*
12 A bons souleurs la pelote.   *Q*
13 A bource de jueur n'a point de loquet.   *P*
14 A celi doit len de son tortiau doner qui le sien
     a ou four.   *B*
15 A char de lou sausse de chien.   *A*
16 A chascun oisel son ni li est bel.   *A*
17 A chat lecheur bat len sovant la gueule.   *b*

A cheval doné... *Voir* Cheval doné...

18 A cointe asne cointe asnier.   *L*
19 A colon saoul serizes ameres.   *Ba*
20 A connoistre fol ne convient pas p[r]endre
     labour.   *X*
21 A cognostre qui est folz n'estuet pas [pendre]
     cloche au col.   *U'*
22 A cortes chauces longues larnieres.   *A*
23 Adés brait la pire roe dou char.   *VFɑ*

24 Adés chante le cucu de soy mesmes.   R
    Adés cuide... *Voir* Ce cuide...
25 Adés ne vente mie vens.   R
26 A dous truies trois greins pour la terre qui est
        dure.   U
27 A deus truyes trois liens.   Q
28 A dreit beit la merde ki en sun puiz la chie.   K
29 A dur asne dur aguillon.   b
    A enviz... *Voir* Enviz...
30 A fel chien aspre lien.   R
31 A femme torte ung patin.   Q
32 A fleur de femme fleur de vin.   Q
33 A foul fourmaige.   Q
34 A goupil endormi ne chiet riens en la gueule.   R
35 A goupil n'avient pas toz jourz geline blanche.   U
    Aigue... *Voir* Eve...
    Ainsi... *Voir* Einsi..., Si...
36 Ainz chante fous que prestres.   A
37 Ainz est ateint mensonger que clop.   L
38 Ains ment li hon qu'il muire.   v
    Aise... *Voir aussi* Soef...
39 Aise fait larron.   A
40 Aese qui nuist travaille et cuist.   Bret.
41 Aise veit a pié qui son cheval maine en destre.   A
42 *A jul ferié malvais marchié.   K'
43 A la barbe son voisin doit len la soe oster.   b
44 A la bone fin veit tout.   A
45 A la cort le roi chascuns i est por soi.   A
46 A la fin se honist li charpentiers.   A
47 A la fin voit on le preudomme.   X
48 A l'agneler voit len qui luyt.   Q
49 A la granche vet li blez.   A
50 A la maisnie quenoist len le seignor.   b

51 A la parole cognoit on l'omme.   *t*

52 A l'apparent prant on le bel.   *X*

53 A la queue est li encombriers.   *A*

54 A large fenme eschars mari.   *U*

55 A la saint Jehan renouvelle l'an.   *Q*

56 A la touche preuve on l'or.   *R*

57 A l'avantaige le villain.   *X*

58 A l'avanture met on les oeufz couver.   *R*

59 A l'enfant le pain ou poing, le pet ou cul.   *Q*

60 A l'enforner fait on les pains corner.   *P*

61 Alenne ne se puet celer en sac.   *Ba*

62 Aler et parler puet len.   *b*

63 Aler et venir Deus lou fist.   *b*

64 A l'escorchier gardez la pel.   *A*

65 A l'esperon coitiez la voie, non au mangier.   *A*

66 A l'estat congnoit on l'omme.   *Q*

67 A longue cauche corte laniere.   *H*

68 A longue corde tire qui autrui mort desire.   *b*

69 Alons, alons, ce dit la grue, De tout lou jor ne se
     remue.   *B*

70 A l'oeuvre congnoit on l'ouvrier.   *R*

71 A l'uis, a l'uis, qui n'a point d'argent.   *t*

72 A meison proiser e en marché vendre.   *L*

73 A mal chat mal rat.   *Q*

74 A mal marchié bien vivre.   *A*

75 A mal rat mau chat.   *Ca*

76 A mauvés chien coe li vient.   *A*

77 Amendemens n'est pas meschans.   *U'*

78 A messagier de loing comptez vos nouvelles.   *Q*

79 Amis, amis, par moy t'en vien : Se tu n'as avoir
     que le mien, Dit ardiement que tu n'as rien. *X*

80 Ami, parent, se as, si pren ; se tu n'as que
     le mien, si di que tu n'as rien.   *T*

81 Amy pour aultre veille.   R
82 A mol pastor leus chie laine.   VFα
83 Amour de femme(s) et ris de chien   Ne vallent
      riens, qui ne dit : tien.   R
84 Amors de segnor n'est mie heritaige.   P
85 Amors en cuer, feus en estopes.   b
86 Amour ne fut onc sans crainte.   Q
87 Amor ne se puet celer.   A
88 Amors n'esleisent mie.   P
89 Amor veint tute rien.   K'
90 Amors veint tout fors cuer de felon.   B
91 * A molt prochein encombrier covient hastif con-
      seil.   K'
92 Anguille morte vin demande, et vive eve en
      habundance.   t
93 A ome eüros sun beuf li vele.   L
94 A home ne faut que cueur.   G
     A peine... *Voir aussi* Enviz...
95 A paine vient a port qui maine putain par mor. X
96 A poines fat on de bouson faucon.   N
97 A Penthecouste roses sont, a la saint Jehan s'en
      vont.   Q
98 A petit d'achoison prent li lous le mouton.   A
99 A petite fontaine boit len soëf.   A
100 A petite pluie chiet granz venz.   v
101 A petit mengier petit signacle.   P
102 A petit mercier petit pennier.   P
103 A petit porcel done Dieus bone pasnaie.   v
104 A point d'argent point de varlet.   Q
105 A pou de parole va on bien loing.   P
106 A pou d'occoison plume li lous l'oie.   Q
107 Aprés courrous boit len.   b
108 Aprés faire barguigner.   R

109	Aprés grant feste grant pleur, et aprés grant joie grant douleur.	F
110	Aprés grant guerre grant paix.	U'
111	Aprés grant joie grant corrous.	B
112	* Aprés grant val grant mont.	K'
113	Aprés labour est bon repous.	t
114	* Aprés la feste saint Thomas, Bele fille, tuche la sarz.	I
115	Aprés la poire le vin.	R
116	Aprés le cri ma lance.	L
117	Aprés l'escler vient le tonnerre.	Q
118	Aprés mangier assez cuilliers.	A
119	Aprés mengier nappe.	P
120	Aprés plenté vient bien grans deseites.	P
121	Aprés ratel n'a mestier fourche.	P
	A qui... *Voir* Cui...	
122	* A resoun pert le chïer qe soun cul estope.	Resp.
123	Arbres moult sovant remués fait a poines boen fruit.	B
124	Arme feit pees.	Ca
125	A saige homme afiert pou de parole.	P
126	A seinor duble ennor, non doble qui tete.	L
127	A seignors totes enors.	A
128	A seür beit qui son lit voit.	A
129	* A seür chie en fosse qui se tient a pel ; e si li pel ront, si charra en l'estront.	K'
130	Asseür dort qui n'a que perdre.	b
131	Asseür fiert qui n'a que perdre.	VFα
132	* A seür vait a plait qui pere a veeir.	K'
	Asez... *Voir aussi* Bien..., Buer...	
133	Assez achate qui demande.	a
134	Asez demande ki se plaint.	K
135	Asez demure de chier qui a (la) longaine vet peant.	L

136 **Assez dort qui riens ne fet.**   *b*
137 Assez escorche qui pié tient.   *B*
138 Assez fait qui fait faire.   *Q*
139 Assez geüne qui n'a que mengier.   *c*
140 Assez otroie qui se taist.   *b*
141 Assez plet a qui ane mainne.   *C*
142 Assez puet plorer qui n'a qui l'apait.   *B*
143 Asseiz seit Deus qui est bons pellerins.   *U'*
      Asez tost... *Voir* A tout tens...
144 Assez trouve preudomme qui sa table luy mect. *Q*
145 Assez vait qui envoye.   *Q*
      A tart... *Voir aussi* Tart...
146 A tart crie la corneille quant li laz la tient par
      le col.   *A*
147 A tart crie li oisiaus quant il est pris.   *a*
148 A tart ere qui n'a buef.   *C*
149 A tart est l'uis clos quant li chival en est hors. *L*
150 A tart est vengé qui Deus venge.   *L*
151 A tart ferme on l'estable quant li chevaus est
      perdus.   *v*
152 A tart menjue qui a autrui escuele s'atent.   *P*
153 A tart prent qui a autrui s'atent.   *P*
154 A tar[t] se repent qui ai la mort antre les dent.*N*
      A tel... *Voir aussi* Tel...
155 A tel coutel tel gayne.   *A*
156 A tel coutel tel morsel.   *A*
157 A tel dame tel chamberiere   *A*
158 A tel demande tel response.   *A*
159 A tel forme tel soler.   *b*
160 A tel marchiet tel vente.]   *v*
161 A tel meffet tel poine.   *A*
162 A tel ovrier tel hostill.   *A*
163 A tel pot tel cuillier.   *R*

164	A tel saint tele offrende.	A
165	A tel seignor tele mesnie.	A
166	A tel sergent tel loier.	A
167	A tel viande tel saveur.	A
168	A tout tens vient qui male novele aporte.	A
169	A trois fois est la luyte.	Q
170	Au besoing voit on l'ami.	N
171	Au besoing voit on qui amis est.	v
172	Au bon buef esmuet on le char.	VFα
173	Au bout de l'aune fault le drap.	Q
174	Au commancement de l'uevre pense de la fin.	A
175	Aucune fois voir dire nuit.	P
176	Au desoz est qui pree.	H
177	Au diable peut len faire tort.	Q
178	Au fonz sont les meüres.	A
179	Au four et au moulin oyt len les nouvelles.	Q
180	Au lardon prant on le rat.	X
181	Au main lever est la journee.	G
182	Au main lever n'est pas sovant li esplois.	P
183	Au mains de la barbe le plus du pain.	Q
184	Au monceau pert qui fait.	Q
185	Au plus bas passe on la soif.	P
186	Au plus fol la machue.	R
187	Au plus grant besoing cuert on avant.	X
188	Au plus meschant chiet la soiete.	P
189	Au premier cop ne chiet li chesnes.	A
190	Auques ne fut oncques saoul.	Q
191	Au resgarder connoist on souvant la personne.	P
192	Au sanblant cognoit on l'ome.	E
193	Au semblant de la feme cognoist li hom son plait.	U'
194	Au seneschal de la maison Peust on connoistre le baron.	P

195 Aus grans pescheurs eschapent les anguilles.   R
196 Aux neuz des geneiz, a la croiz, aux monceaux
  des pierres congnoist len les chemins.   T
197 Au soir loe len le jour et au matin la nuit.   T
198 A[u] sornon quonoist len l'ome.   L
199 Aussi bien pleure mal batus comme bien batus.   R
200 Ausi bien sunt amoretes souz buriau com souz
  brunete.   B
201 Aussi(s) tost meurt veiaux com vaiche.   B
202 Autant a de met a la huge comme de la huge
  a la met.   Q
203 Autant couste bien batu com mal batu.   A
204 Autant couste li suis comme la mesche. -   A
205 Autant despant avers com larges.   B
206 Autant gaangne qui crie vin a quatre con qui
  crie vin a douze.   C
207 Autant gaaigne qui pié tient comme qui escorche.   A
208 Autant tient poche comme sas.   A
209 Autant va ung homme a ung jour comme ung
  lymaçon a cent ans.   R
210 Autant valt chaoir com trebuchier.   A
211 Autant vaut moulin qui ne mout come four qui
  ne cuit.   U
212 Autant vaut tirer com rompre.   A
213 Autre chose pense li asnes, autre chose li asniers.   A
214 Autruy 'deul querelle semble.   Q
215 Au vespre loe len le jor.   A
216 Au vespre loe on le jor, au matin son oste.   VFα
217 Aventaiges fait aucune fois dammaige.   P
218 Avoir n'est preux qui a son seigneur fait honte.   R

B

219 Bacons mal salez en charnier empire.   *VF*β
      Bel... *Voir* Bien..., Buer...
220 Bele chiere vaut un més.   *a*
221 Bele chose est tost ravie.   *b*
222 Bele fame est a poinne chaste.   *N*
223 Bele la me fai, bele la te ferai.   *G*
224 Belement vet len bien loing.   *b*
225 Bele parole fet fol lié.   *B*
226 Bele parole ne freint teste.   *L*
227 Bele poingnie en deus noiz.   *L*
228 Belle promesse fait fol lyé.   *R*
229 Belle vigne sans resin ne vault rien.   *Q*
230 * Bel promettre e nient doner   fait fol conforter.*I*
231 * Beal proverbe fait a retenir.   *Resp.*
232 Benoist soit bon juge.   *Q*
233 Benoiz soit le seigneur dont li otes amende.   *C*
234 Benoist soit qui amende.   *Q*
235 Berte fu a la met, s'ele en prist si en ait.   *A*
236 Besoing fait vielle troter.   *A*
237 Besoing ne garde loi.   *L*
238 Besoing ne garde que il fait.   *c*
239 Biaus chanters anuie.   *v*
240 Biaus chanters trait argent de borce.   *P*
241 Biaux noiaux gist soz foible escorce.   *A*
242 Biaus parleir ne conchie bouche.   *U'*
243 Biaus sanz boen ne vaut rien.   *B*
244 Biaus services taut pain de main.   *P*
245 Beaulté de femme est tost passee.   *Q*
      Bien... *Voir aussi* Assez, Buer, Mout, Soëf...
246 Bien aré ou mal aré, en la gresse vient le blé. *Q*

247   Bien a sa cort close qui si voisin aiment.   *A*

248   Bien atent qui paratent.   *A*

249   Bien doit aller par la maison Qui rien ne doit et
          luy doit on.   *Q*

250   Bien doit despendre qui de legier gaangne.   *c*

      Bien est... *Voir aussi* Il est bien..., Mout est...

251   Bien est eidiez cui Deus velt eidier.   *A*

252   Bien est gardez qui Deus velt garder.   *A*

253   Bien est malades qui ne peut gesir.   *P*

254   Bien est venuz qui aporte.   *A*

255   Bien fait qui se porvoit en croire ce qu'il doit. *Bret.*

256   Bien foloie qui aprés se chatoie.   *G*

257   Bien gabés est que gabés gabe.   *R*

258   Bien oblie qui nient treuve.   *E*

259   Bien pert au[s] tés ques li pot furent.   *P*

260   Bien pert el chief quels les oilz furent.   *VD*

261   Bien pert s'alleluye qui a dos de buef la chante.   *A*

262   Bien se doit tere de l'escot qui riens n'en paie.   *C*

263   Bien se part de la place qui son amy y laisse.   *R*

264   Bien set li chaz cui barbe il leche.   *VFγ*

265   Bien vaut yvre desvé.   *Bret.*

266   Blanche berbiz, noire berbiz, autant m'est se tu
          muerz con se tu viz.   *A*

267   *Blanche verue ne fraint teste.   *K'*

268   *Boir sanz manger est past a grenoulles.   *Ca*

269   Bois a orelles et plain a eus.   *L*

270   Bon chatel garde qui son cors garde.   *VA*

271   Bon(n)e cautelle a mestier.   *Q*

272   Bonne chiere fait cueur lié.   *R*

273   Bone est la maille qui garde le denier.   *G*

274   Bonne femme honneure son seigneur.   *Q*

275   Bone fust aiue si ne fust manjue.   *K'*

276   Bone jornee fait qui de fol se delivre.   *A*

277	Bonne maisnie tous dis se paist.	P
278	Bonne parole bon lieu a.	v
279	Bonne parole porte bon los.	P
	Bon fait... *Voir aussi* Il fait bon...	
280	Bon fait mentir pour paix avoir.	S
	Bon gré... *Voir* Ou volentiers...	
281	Bon[s] baratiers est qui barateur conchie.	R
282	Bons est li damages qui au feu bout.	H
283	Bon est le dueil qui aprés aïde.	R
284	Bon est le lievre dont cent soulz couste la pel.	R
285	Bon est le mestier dont len se peult vivre.	Q
286	*Bons est li plait dont len loe la fin.	K'
287	*«Bon est l'un a l'autre», ceo dit le carpenter.	Ca
288	*Bon est loi[n]gtain enemi e prochain ami.	K'
289	Bon fruit vient de bonne semence.	S
290	Bons marchiez est troveüre.	b
291	Bon marchié trait argent de borse.	A
292	Bons mentirs a la fois aiue.	P
293	Bons messagiers bone novele apporte.	B
294	Bon mot n'espairgne nelui.	A
295	Bons ouvriers ne peut tart venir en oevre.	P
296	Boins ouvriers ne venra ja tart ad euvre.	C
297	Boin temps aroient marcheant s'il ne lez convenoit conter, ausi aroient bailli et userier.	U'
298	Bonté autre requiert.	A
299	Bontez autre requiert et colee sa per.	v
300	Bontez est une, Beautez est autre.	Bret.
301	Bontez faite en charité n'iert ja perdue.	P
302	Bonté qui n'est seüe ne vaut riens.	A
303	Bonté seüe, quant elle est teüe, si est perdue.	G
304	*Braier de lin fait male fin(e).	Ca
305	Brebis s'entreacuillent.	Q
306	Brebis sont blanches, mais une en vault deux.	Q

307 Buef a denier dolant celui qui ne l'a.   *P*

308 Buer ait sa torte qui male bouche estope.   *M*

309 Buer a son verjant qui chastie son enfant.   *V A*

310 Buer escrie le leu qui sa proie resqueut.   *V F α*

311 Beur est nez cui on doute.   *P*

312 Buer foloie qui mi voie se retorne.   *A*

313 Buer jeûne au matin qui au soir est saous.   *A*

314 Buer se chastie qui par autrui se chastie.   *A*

C

315 Ç'avient en un jour que n'avient en cent ans.   *P*

316 [Ce] cuide li larron que tuit soient si compaingnon.   *A*

317 Ce cuide li lierres que tuit soient si frere.   *A*

318 Ce esmeut ung fol que quarante sages ne pour-
      roient apaisier.   *R*

319 Ce fait vins que ne fait iaue.   *v*

320 Ce forfait la truye : que les pourceaux le com-
      peirent.   *R*

321 * Ceile ton doel e conte ta joie.   *K'*

Ce n'est... *Voir aussi* N'est...

322 Ce n'est mengier que pain prendre.   *Q*

323 Ce n'est mie comparoison de suie a miel.   *A*

324 Ce n'est pas maistrise de garder viel panier quant
      vendenges sont passees.   *Q*

Ce que... *Voir aussi* Que...

325 Ce que chante la corneille si chante le cornillot.   *Q*

326 Ce que fait as si pren.   *Q*

327 Ce que gaigne clerc o penne tout emporte c. o. n.   *R*

328 Ce que l'ung ne scet l'autre scet.   *Q*

329 Ce que l'ung ne voit l'autre voit.   *Q*

330 Ce que me haite m'est bon.   *Q*

331 Ce que n'est bon a l'ung est bon a l'autre.   *Q*

332	Ce que ne voit en long si voit en lé.	Q
333	Ce que voisin set, ce sevent tuit.	VFβ
334	Ce qui est bon a prandre si est bon a rendre.	Q
335	Ce qui est fait n'est pas a fere.	Q
336	Ce qu'on vuet lire on lo doit ainçois regarder.	N
337	* C'est dreit que bele feme puite fait.	I
338	Ceste coe n'est pas de cest veel.	A
339	Chaitis n'aura ja bon ostel.	B
340	Chantés a l'asne, il vous fera des pés.	R
341	Chant et chief ne garde ou il s'asiet.	Q
342	Charreterie se boit toute.	C
343	Charles fut Charles et Ogier fut Ogier.	Q
344	Charue de chiens vault pou.	R
345	Chascune vieille son doil plaint.	A
346	Chascun avance le sien.	t
347	Chacun buchet fait son tison.	Q
348	Chascuns chiens qui abaie ne mort pas.	A
349	Chacun dit : je feray, je feray, mais la veue declaire tout.	Q
350	Chascuns dit que ge folai, més nus nel set mielz de moi.	A
351	Chascuns doit volentiers fere ce qui plait a son maistre.	E
352	Chascuns moulins trait a lui yaue.	P
353	Chacun n'a pas boyceau ferré.	Q
354	Chacun ne fait pas du sien a son talent.	Q
355	Chascuns ne set qu'a l'oill li pent.	A
356	Chascuns ne set que avenir li est.	A
357	Chacun païs a son estre.	Q
358	Chacun pendra par son geret.	Q
359	* « Chescuns pur sei », ce dit le pulchin.	K
360	Chascun prestre loe ses reliques.	t
361	Chacun se doit porter selon son estat.	Q

362	Chacun veult avoir le sien.	Q
363	Chacuns voit volentiers ce que li est bel.	G
364	Charité se refroidist.	Q
365	Chastel abatu vaut demi fait.	Ca
366	Chastel va et vient.	Q
367	Chastier fol est cous en yaue.	c
368	Chaude raie fait chape moillie.	E
369	Chaux fers n'est pas mortereux.	R
370	Chaus souleil luist loing.	P
	Chaz conoist... Voir Bien set...	
371	Chat engaunté ne surrizera ja bien.	Ca
372	Chat enmouflé ne fera ja beau fait.	Q
373	* Chat sauvage est a toit hostilie.	Ca
374	* Chat seul est sanz noise.	Ca
375	Cheval donné ne doit on en bouche garder.	VFα
376	Chevaliers sens espee, clers sens livre, menestrés sens outil ne pueent feire bonne besongne.	G
377	Cheval monte seur sa coue.	A
378	Cheval rongneux hait trop l'estrille.	Q
379	Cheval selé(e) prest est de l'aler.	L
380	Chien court ne passe tout le pont.	Q
381	Chien dangereus sans marande se couche.	R
382	Chiens en cuisine son per n'i desirre.	VFα
383	Chien enragié ne peut longuement vivre.	R
384	* Chiere merz a en mesure.	K'
385	* Chose aveeie plus asavoure.	Resp
386	Chose bien commancie est demie parfeite.	G
387	Chose costume[e] mestre se rent.	L
388	Chose devee est la plus desiree.	B
389	Chose donnee doit estre louee.	P
390	Chose non conneüe n'est haïe ne desirree.	P
391	Chose perdue cent souz valt.	A
392	Chose qui plaist est demy vendue.	R

393	Choses mal acquises sont mal espandues.	P
394	Cil est bien de l'iglise qui le sien i devise.	Bret.
395	Cil est mes oncles qui lou ventre me comble.	a
396	Cil est povres cui Deus het.	A
397	Cil est riches cui Deus aime.	B
	Cil qui... Voir aussi Qui...	
398	Cil qui haut monte de haut chiet.	VF$\overline{\alpha}$
399	Cil qui mant volentiers ne fait pas a croire.	P
400	Cil rit des cotes qui voit sun damage(s).	L
401	Clers contre laiz.	Q
402	Clers et fames sont tout ung.	Q
403	Coart marchant ne gainnera ja grant chose.	E
404	Com ainz si mieuz.	L
405	* Comme miez vos va, plus vos porveez.	K'
406	Compaignie Dieus la fit et dyaubles la deffit.	E
407	Compaignie fait moult.	A
408	Compaignie sans traïson ne vault rien.	Q
409	Comparisons sont haïneuses.	P
	Con plus... Voir aussi Quant (Que, Qui) plus...	
410	Con plus esmuet [on] la merde, e ele plus pu(e)t.	VD
411	* Cum plus main leve le maluré, plus [a] long jour.	VD
412	* Cum pot si prenget.	I
413	* Cum putein plus plure, mains pisse.	Resp.
414	Conseil de preudomme doit len croire.	G
415	Consels arriere main n'est preuz.	VFβ
	Contre... Voir aussi Encontre...	
416	Contre congnie serrure n'a mestier.	R
417	Contre mort nul resort.	A
418	Contre nuit florissent courdes.	A
419	Contre une verte une meüre.	H
420	Contre vezié recuit.	A
421	Contre viseus asnon viseuz asnier.	P
422	Con vieut li rois si va la loys.	VFα

423 * Coup en ewe ne pert.   K
424 Courte messe et long disner est la joye au che-
        valier.   Q
425 Courtoisie passe beaulté.   Q
426 Cortoisie valt moult.   A
427 Coustume se remue.   Q
428 Coustume vainct droit.   Q
429 Coutel en autre meyn sueff taile.   Ca
430 Covenant vaint.   A
431 Covenant vaint loi.   A
432 Coverture de loissel n'est preuz.   C
433 Covoiteus ne voit goute.   L
434 Couvoitise fait trop de mal.   Q
435 Cueur de femme est tost mué.   Q
436 Cueur d'omme ne fut oncques saoul.   Q
437 Cuers ne puet mentir.   B
438 Cui avient une n'avient seule.   v
439 Cuideurs sont en vendenges.   R
440 Cui Deus velt eidier, nus ne li puet nuire.   A
441 Qui est li asnes, a la keue li queurt.   VFα
442 Cui il meschiet on li mesoffre.   P
443 Cui li chiés dieut, tuit li membre li falent.   v
444 Cui peinne croit, peinne endure.   P
445 Cul se siet et esve chauffe.   Q

D

Dahez... *Voir aussi* Honiz soit...

446 * « Dahez eient tanz meistres », dist le crapod
        a l'herce.   I
447 * Dehez eit la bouche en mensonge desiret (?).   Ca
448 Dahé ait la dent qui mort son parent.   t
449 Dahez ait la soriz qui ne set c'un pertuis.   A

50	Dahez ait li prestres qui blasme ses reliques.	*b*
51	Dahez ait mauvés dangier.	*A*
52	Damme de bel atour est aubeleste a tor.	*P*
53	D'autrui cuir large corroie.	*A*
54	D'autrui preu s'esjoit qui le con sa dame voit.	*VFα*
55	Deable maine tousjours moynes a Tournay.	*Q*
56	De bel chanter s'anuie len.	*A*
57	De bel conter enuie l'on.	*P*
58	De bele parole se fet fos toz liez.	*H*
59	De bele promesse se fet fous tout lié.	*A*
60	De bel parler est fous avers.	*A*
61	De bel prameteur mauvais paieur.	*VH*
62	De bien faire vient bien maus.	*P*
63	De bien fait col frait.	*A*
64	De bien gaignier avec l'espargner devient on riche.	*R*
65	De blanche gelee pluie paree.	*L*
66	Debonnaires mires fait plaies puantes.	*R*
67	De bon deteur aveine, et de mal nient.	*L*
68	De bone garde ne fu onques trop.	*VA*
69	* De bone rusche bon essaim.	*K'*
70	De boin estrange fé le boin privé.	*C*
71	De bonne vie bonne fin.	*R*
72	De bon mangeor mauvés donoor.	*H*
73	De celui me lo qui bien me fait.	*v*
74	De ceo que home quid savoir chet il en desepeir.	*Ca*
75	De ce qu'on ne puet amender Ne se doit l'on pas trop doler.	*VD*
76	De chose contraire ne puet len pas bien faire.	*b*
77	De chose contraire nul bien ne retraire.	*Bret.*
78	De chose mal acquise ne joyra ja tiers hoir.	*Q*
79	De chose perdue li consauz ne se mue.	*b*
80	De contees prent lous.	*A*

481 De deable vint, a deable ira.   *c*
482 De demain en demain aura boie polain.   *A*
483 De demain en demain print la taigne morain.   *R*
484 De denier oublié ne los ne gré.   *Q*
485 De deniers mescontez ne graces ne grez.   *b*
486 De deus maus le meyndre.   *Ca*
487 De douce assemblee dure dessevree.   *A*
488 * De fel home feint ris.   *K'*
489 De fole pansee vient fole paumee.   *b*
490 De fol et d'enfant garder se doit len.   *B*
491 * De fol se deit len guarder.   *K'*
492 De fol folie.   *B*
493 De fol folie, de cuir corroie.   *A*
494 De fol home fol sunge.   *K'*
495 De folie se peut len venter.   *Q*
496 De folie s'esmoie   qui assez acroit et riens ne
        paie.   *A*
497 De fort couture dure desireüre.   *b*
498 * De frumage croyse mangue lo chat.   *Ca*
499 De gab de voir si marrist len.   *L*
500 * De garbe remue[e] chet le greyn.   *Ca*
501 De grant courroux grant amitié.   *Q*
502 De grant doit len doner petit, de petit nient.   *L*
503 De grant fiance grant faillance.   *Q*
504 De grant maladie vient on en sancté.   *R*
505 De grant peine se delivre qui prodome ne veut
        estre.   *L*
506 De grant vent petite pluie.   *b*
507 De grant vilain granz caz.   *A*
        Dehez... *Voir* Dahez...
        De hoste... *Voir* Ostes...
508 De giu de dés qui plus en set s'afuble un sac.   *P*
509 De joene saintel veil dyable.   *VA*

510	De la chose que tu feras Garde a quel fin tu en venras.	P
511	De large cuer adés largesce Et de dur cuer toujours destresce.	P
512	De ligier plore qui la lippe pent.	K'
513	De lonc peleringnage, de grant enfermeté voit on pou de gens amender.	P
514	De longues terres longues noveles.	v
515	De maigre poil aspre pointure.	Ca
516	De mains se crieve on l'ueil que d'un chevron.	VFα
517	De maintes se pourpense qui pain n'a.	VFα
518	De mal deteur prent len avoine.	A
519	De ma paste tourtel, de ma manche morvel.	R
520	De mauvés arbre mauvés fruit.	C
521	De mauvaise vie mauvaise fin.	Q
522	De malvais hoste bon convoyeur.	R
523	De mauvais vesseau ne sortira ja bon boire.	Q
524	De meïsmes la terre fait on le fossé.	VFα
525	De mol covenant dure tençon.	L
526	De noient se corroce qui noient ne pert.	VFβ
527	De nient s'entremet a qui len rien ne commande.	L
528	Deniers prestez ne doit on demender.	P
529	De nouveau advocat libelle cornu.	Q
530	De nouveau phisicien cimitiere bossu.	Q
531	De novele parole novia[u]s consal.	L
532	De novel tot est bel et de viez entre piez.	VFβ
533	De novel tout m'est bel.	A
534	Dent de chael, pé de cheval, cul d'enfant ne sunt pas a crere.	L
535	De pecheor misericorde.	A
536	De petit aguillon point l'on grant asnesse.	VH
537	De petit a lecheour aïde.	t
538	De petit enfant petit dueil.	R

539   De petit petit et de assez assez.   *b*
540   De petit petit et de buef grant piece.   *A*
541   De petit s'eschaufe qui en son poing poit.   *Q*
542   De planté   chierté.   *Q*
543   De pou de levain leve grant paste.   *N*
544   De peu de parolle vient grant noise.   *VH*
545   De povre conseil mavés jugement.   *VH*
546   De prodome doit len amender.   *A*
547   De pute espine   pute surdine.   .   *K*
548   * De pute mere pute fi(i)lle.   *K'*
549   De put oef put oysel.   *v*
550   De quoi donra paiage qui riens ne porte ?   *VA*
551   De rés comble.   *R*
552   * De rouge matinee   lede vespree.   *Ca*
553   De sage home sage demande.   *A*
554   De sauvaige pucelle privee putain.   *Q*
555   De service au deable conchié guerdon.   *Q*
556   De si bas si hault.   *R*
557   De si haut si bas.   *A*
558   * Desouz chemise blanche a mainte brune hanche.   *VD*
559   Desoubz le ciel n'a riens estable.   *S*
560   * Desoz petit boisson   abri atent lem.   *K'*
      Desus... *Voir* Devant...
561   De tant come home est plus estret   De tant est
          mal en luy plus let.   *T*
562   De tel fait   tel retrait.   *Bret.*
563   De tel fust que on a fait on fleche.   *Z*
564   De torte buche fait len droit feu.   *A*
565   De tout est mesure fors de sa feme batre.   *VA*
566   De tout est une pose.   *Q*
567   De tout et par tout est mesure.   *P*
568   De tout se palle len.   *Q*
569   De traïtor ne se peut on garder.   *P*

Deus... *Voir* Dieus...
Deux... *Voir aussi* Dui...

570	Deux festes valent mieulx que une jeüne.	Q
571	Devant son fumier se fait li chiens fiers.	A
572	Devant veuz chat ne treez ja festu.	Ca
573	De veil cul nouvelles nopces.	Q
574	De viez pechié novele vergoigne.	VH
575	De vuide main estoute parole.	A
576	De vuide main vuide priere.	G
577	Diaux en vile n'est pas onis.	G
578	Diaus trespasse, més honte dure.	G
579	Dieu a cent mil aïes.	Q
580	Dieus done le buef, més ce n'est pas par la corne.	B
581	Deus est a l'enprunter et deables au rendre.	A
582	Dieus fist, Dieus prangne.	C
583	Dieu gart la lune des loups.	Q
584	Dieu n'engigna oncques de marchié qu'il fist.	R
585	Dieu pardonna sa mort.	Q
586	Deus set bien qui bons est.	A
587	Deus set tout.	A

Dolente, Dolenz... *Voir aussi* Dahez..., Mal est
        bailliz...

588	Dolente la sente qu'on quiert par les fossés.	R
589	Dolente la terre que enfe governe.	N
590	Dolente la vile que asneir preient.	K'
591	Dolenz celui qui rueve.	VFα
592	Dolenz est cil a cui li autres se chatient.	N
593	Dolenz est qui pert.	A
594	Donanz e pernanz fet mere et filles amies.	L
595	Donné et retoust, la hart au coul.	Q
596	Donnez a putain ennuyt et demain, elle plus se orgueille.	Q
597	Dunt bien ne veut bien ne dit.	L

598   Dont me membre si me tient.   Q
599   Dont me souvient ai remembrance.   P
600   Dont me tient   me sovient.   A
601   Dont mieus te fie mieus te garde.   P
602   Dum mi si duie...   L
603   Doulce parolle fraint grant ire.   Q
      Douz parler... Voir Bele parole...
604   Drois a bon mestier d'aïde.   P
605   Droit a droit revient.   A
606   Droit ne se remue.   Q
607   Droiz n'esparne nuli.   b
608   Druges de veel ne durent pas tout yver.   b
609   Dui chiens [ne peuent] a ung os.   R
610   Dui gros ne chevaucheront ja bien une sele.   A
611   Dui gros ne pueent en un sac.   A
612   Deux loups mengeront bien une brebis.   Q
613   Deux moucherons font une chandelle.   Q
614   Dui orguillous ne pueent seo[i]r en une celle.   U'
615   Deux petiz font ung grant.   Q
616   Deux truans ne s'entraimeront ja a ung huis.   Q
617   Dou meillor fust que len a doit len faire floiches.   B
618   Dou pain a mon conpere grant piece a mon
        filluel.   VA
619   D'ung leu ne prent on pas bien l'autre.   R
620   D'un pain mengier se tenne len.   R
      Du petit... Voir Par le petit...
621   Du petit oill te garde.   A
622   Dure chose est regiber contre l'aguillon.   P
623   Dur oisel peile qui escorce votur.   L
624   Du sourfeit paist len les chiens.   Q
625   * Du trunceon de la launce puit ome juster.   Ca

E

526 Einsi est de ce monde : quant l'ung descent et
    l'autre monte.   Q

527 * El ad en tine, dit la suriz, que farine.   K
    En... *Voir aussi* A...

628 En amours a folie et sens.   R
    En aoust... *Voir aussi* Gelines..., Par aoust...

629 En aougt fait il bon glaner.   R

630 En aventure gist beau cop.   A

631 En biau servir covient eür avoir.   A

632 En bien n'a se bien non.   A

633 En burdant dit hom veir.   Ca

634 En ce monde n'a que eur et meseur.   R

635 En cent folies n'a pas ung sens.   Q

636 En compaignie ne doit point avoir de maistrise. Q
    Encontre... *Voir aussi* Contre...

637 Encontre nuit se muvent les limaces.   B

638 Encore est vive la soris.   S

639 Encor n'est fet l'esperon, e ja en pet l'asne.   L

640 Encore valt une toise de bacon deus d'asne.   A

641 Encore valt un jor de bien quatre de mal.   A

642 Encore vendra blanche a la planche.   A

643 * En cuveiter gist grant pertes.   K

644 * En dart se peine ki Deu nen avance.   K
    Endementres... *Voir aussi* Tant con...

645 Endementres que li fers est chauz le doit len
    batre.   A

646 Endementres que li geus est biaux le fait bon
    laissier.   A

647 En esperance d'avoir mieulx Vit li homs tant
    qu'il devient vieux.   R

648 En esté et en iver dahet coste de aignel.   L

649 * En estraunge terre chace la vache le boef.   Ca

650 Enfans deviennent gens.   R

651 Enfant ame moult qui beau l'appelle.   Q

652 Enfant haÿ ne joera ja bel.   Q

653 Enfes envoisiez longuement n'est liez.   H

654 En forgeant devient len fevre.   Q

655 En grant escuele put en fere male part.   L

656 En grant huitille ce c'on vuet, En petit met on
ce c'on puet.   P

657 En iver partut plut, en esté ou Deus veut.   L

658 En la barbe n'est pas li sens.   G

659 En la bele voie te garde.   A

660 En la coue gist li enconbriers.   A

661 En la queue gist le venin.   Q

En la fin... *Voir* A la fin..., En la coue...

662 En la langue gist la mors et la vie.   P

663 En l'amour dou seignour gaaigne li serjanz.   VFα

664 En lermes de felon ne se doit nus fier.   B

665 En leu de saige met en fous en tauble.   M

666 En lit a chien ne quer(e) ja sayn.   A

667 En l'or et en l'argent est la tiree.   Q

668 En meffait ne chiet que amende.   R

669 En novembre foul engendre, en aoust gist sa
femme.   Q

670 En nul trop n'a reson n'en poi se petit non.   A

Enoios... *Voir* Enuios...

671 En pel de berbiz quanque vels si escriz.   A

672 En petit boisson trove len grant lievre.   a

673 En petit champ croist bon blé.   Z

674 En petit cors git bonne ame.   G

675 En petite cheminee faict on bien grant feu et en
grande petit feu.   Z

676	En petite meson a bien Deus grant parçon.	A
677	En petite teste a grant sens.	Z
678	Em plait n'a point d'ammor.	P
679	En pou d'eure Deus labeure.	A
680	En povre robe est li sages foz.	G
681	* Enragé chien dune si t'abai.	K
682	En requoy gist la nasse.	R
683	* En sens aprendre a petite[s] de[n]reies.	K'
684	* En sun cul se fie ki herce estranglute.	K
685	En tel pel con naist li loux morir l'estuet.	B
686	* Entor la mesoun au chaceour deit homme quer le levre.	Ca
687	* En totes eages redote l'om.	Ca
688	En totes les manieres que len puet doit on grever son enemi.	d
689	Entre bouche et cuillier vient sovent encon- brier.	A
690	Entre cent savates n'a pas une bonne.	b
691	Entre deus samedis avient moult de mervoilles.	A
692	Entre deus selles chiet dos a terre.	A
693	Entre deus verz la tierce meure.	A
694	Entre deus verz une meüre.	b
695	Entre faire et dire a moult.	R
696	Entre fol et sage a grant devise.	VH
697	Entre petiz balinez nourrist len de beaux vallez.	Q
698	Entre tel tien tel te demain.	R
699	Enuyos veint.	K'
700	Enuieus vaint, nient beaus.	VFβ
701	En ung four chault ne croist point d'erbe.	S
702	En un mui de cuidier n'a pas plaing poing de savoir.	P
	En vain... *Voir aussi* Por neant...	
703	En vain fait par deus qui peut faire par un.	P

704   Envie ne morra ja.   *A*
705   Envieus murt, Envie ne mora ja.   *L*
      Enviz... *Voir aussi* A peine...
706   Envis donne qui a apris a penre.   *P*
707   Envis lait on çou que on aprent.   *P*
708   Enviz me donroit l'uef qui le festu en leque.   *VH*
709   Enviz muert qui apris ne l'a.   *A*
710   Eschaudez eve creint.   *A*
711   Es chiens tuer congnoist len les foulx.   *Q*
712   Escommunié est ung mal dont len garist.   *Q*
713   E[s]mai a len lui aoit (?).   *L*
714   Espees sont malles armes.   *Q*
715   Esperance n'est pas savoir.   *L*
716   Espoir nuyt ou aÿe.   *Q*
717   * Estreit l'estoet torner qui a gopil eyre.   *K'*
718   Estront de veel ne fume tot yver.   *K'*
719   Et par pluie et par bel tans doit on porter sa
          chappe.   *VFα*
720   Eve coie ne la croie.   *A*
721   * Awe gelé en le seir se conchie.   *Resp.*
722   E(s)ve qui court ne porte point d'ordure.   *Q*

F

723   Face chacun son devoir.   *Q*
724   Fai a autrui ce que tu vourroies c'on te feït.   *P*
725   Faites bien le vilain et il vous fera mal.   *P*
726   Fay, villain, a ton enfant ce que tu sçoiz.   *Q*
727   * Fameillos pooil durement mort.   *K'*
728   Femme ayme tant comme elle peut et homme
          comme il veult.   *Q*
729   * Femme arme plein poigne de sa volunté.   *Ca*
730   Fame avere trois foiz sele.   *v*

731	Fame de fol atour est arbeleste a tour.	b
732	Femme deshontee met son pain ou four.	Q
733	Fame lecherresse ne fera ja poree espesse.	B
734	Femme mariee doit estre simple et porter la guimple.	Q
735	Femme noire fait bons choux.	Q
736	Femme qui donne elle s'abandone.	Q
737	Femme qui parle comme home et geline qui chante comme coq ne sont bonnes a tenir.	Q
738	Femme qui prent elle se vent.	Q
739	Femme se plaint, femme se deult, Femme est malade quant el(le) veult.	Q
740	Femme scet ung art avant le deable.	Q
741	Femme seule est rien.	Q
742	Fame veult touz jours faire ce que len luy vee.	T
743	Ferree jument glice.	R
744	Feux en estoupes ne se pueut celer.	G
745	Feu ne fut oncques sans fumee.	Q
746	Feu ne sera ja bien couvert la ou il y a autruy sergent.	Q
747	Fevres et forniers boivent voluntiers.	Q
748	Fiance est mere de despit.	R
749	Fier, n'as que perdre !	A
750	Fille de villain se fait tousjours prier.	Q
751	Fille qui trote et geline qui vole de legier sont adirees.	Q
	Filles et meres... *Voir* Meres et filles...	
752	Flaons chaus s'ensaigne.	VFβ
	Folie est... *Voir* Len ne doit pas...	
753	* Folie garde[e] vaut deuz foiz dite.	Ca
754	Folie n'est pas vasselage.	A
755	Follie n'est que vent, qui la dit si la prent.	Q
756	Folle mere pour enfant.	Q

757	Force me faictes et beaux m'est.	R
758	Force n'est droit.	b
759	Force n'est drois, ains fait a rapeler.	P
760	Fort contre fort.	G
761	* Forte chose a en « faire l'estuet ».	I
762	* Fort est autri veel lier au sien.	Ca
763	Fortune regne.	Q
764	Fortune torne en petit d'eure.	A
765	Forz est qui abat et plus forz qui se relieve.	b
766	Fous aime tençon.	A
767	Fous devise et Deus depart.	B
768	Fous dit kenques a la bouche li vient.	P
	Fous est... *Voir aussi* Il est fous...	
769	Fous est cis qui feme weut gaitier.	P
770	Fous est cis qui se mest en volanté d'autrui.	P
771	Fous est li hon qui se mest en enqueste.	P
772	Fols est ki ce qu'il tient gete a ses piés.	VA
773	Fous est qui queurt a meillor pain que de forment.	VFα
774	Fol est qui d'autrui mesdit si ne regarde a soy.	R
775	Foul est qui foul boute.	Q
776	Fous est qui ne aprant.	b
777	Fous est qui ne croit consoill.	A
778	Fol est qui plus despent que sa terre ne vault.	R
779	Fous est qui prant sor lui la maçue por autrui.	P
780	Fous est qui se oublie.	b
781	Fous et avoir ne se peuent entravoir.	b
782	Fous et felons ne pueent avoir paiz.	B
783	Foul et foulle n'ameront ja qui bien leur conseille.	Q
784	Fous fet d'um damage deus.	c
785	* Fol home foles veies tient.	K'
786	* Fol marchant folement bargaigne.	K'
787	* Fol ne creit ne mais ceo qu'il veit.	K
788	Fous ne crient devant qu'il prent.	A

789 Fous ne doute tant que il prent.   *H*
790 Fous ne voit en sa folie se sen non.   *A*
791 Fous ne voit que il boit.   *b*
792 Fous qui ne foloie si pert sa seson.   *C*
793 Fous se dort et terme aprouche.   *C*
794 Foul si despent et gaste quanque gaingne li saige.   *t*
795 Fous s'i fie et musarz s'i atant.   *B*
796 Fous vait a cort sanz mander.   *A*
797 Fous va a plait s'on ne l'i mande.   *P*
798 Fous voit au vespre et sage au matin.   *C*
799 * Frut preove bien de quel arbre il est.   *Resp.*

G

800 Garde de femme ne vault rien.   *Q*
801 Garde que tu donnes et a cui.   *P*
802 Garde soy qui s'aymera.   *Q*
     Ge... *Voir* Je...
803 Gelines sunt sordes en aoust.   *b*
804 Gelousie soit honnie.   *Q*
805 Gentillesse se monstre la ou elle est.   *Q*
806 Genz que se aiment peretes s'entrejetent.   *L*
807 Gloutonnie soit honnie.   *Q*
808 Glouz n'iert ja saous : plus a, plus veut.   *P*
809 Gloz veut tot et pert tot.   *L*
810 Goute enossee est a poine curee.   *B*
811 Gracieuse plaist non belle.   *R*
812 Grairie soit honnie.   *Q*
813 * Grange vuide est ventouse.   *Ca*
814 Grant chose a en « faire l'estuet ».   *A*
815 Grant convoitise fait petit mont.   *R*
816 Grant debonneretez a maint home grevé.   *b*
817 Grant et vaillant ne deçoit homme.   *Q*

818 Grant fein a de donner qui commande que len
       demande.   G
819 Grant honte fait sa mere   qui ne semble son pere.   A
820 Grant mestier a de fol qui de soi meïsme le fait.   A
821 Grant n'est pas part, mais foul s'i fie.   Q
822 Grant peinne emprent qui putain prant en garde.   P
823 Grant poür put avoir que voit la meson son
       veisin ardre.   L
824 Granz aises est d'avoir les clez des chans.   P
825 Grans bienfais a besoing peut estre reprovez.   P
826 Grant bien ne vient pas en peu d'eure.   R
827 Granz chevaliers n'est mie seus.   E
828 Grans cop est ramenez de loing.   G
829 Grans demendes n'emplient pas bource.   P
830 Grant don souractendu   n'est pas donné, ains est
       vendu.   Q
831 Grant homme est voluntiers couart.   Q
832 Grant marché ne fut oncques ne(i)s.   Q
833 Grant marché trait argent de bourse.   t
834 * Gratez al vilein la coille, e il vous chiera en
       la palme.   Resp.
835 Guerdon   est mauvais poisson.   Q

H

836 Hardi a l'escuelle et couart au baston.   Q
837 Hardiement parole qui a la teste saine.   b
838 Harnois ne vault rien qui ne le deffent.   R
839 Ha[s]te a lecheor ne sera ja bien cuite.   B
840 Haste ne vait sole.   K'
841 Haste qui n'est cuite ne vault rien.   Q
842 Hez avant, et il reüle.   A
843 Home nu ne puet on despoillier.   v

844 Homs bien abuvrez n'iert unques mal peüz.   B
845 Homs ivres n'est pas a soi.   b
846 Home mort n'a ami.   A
847 Homme vuy est demy enragé.   Q
     Honiz soit... *Voir aussi* Dahez...
848 * Honny[e] soit manoie de fol e de enfant.   Ca
849 Honiz soit qui en Dieu ne croit.   A
850 Honnors muent et varient les mors.   P
851 Honte est chapeaus a fol.   B
852 Honteus doit estre molt qui se mesfait.   P
853 Hors et ens la veselle est trouvee.   P
     Hoste... *Voir* Oste...

I

     Iaue... *Voir* Eve...
854 Ici e en Espaingne mal vit qui ne g[a]aingne.   L
855 Il a bon marché de l'outil a son voisin qui l'a pour
        le rendre.   Q
856 Il a male lune qui a male fame.   T
     Il a plus... *Voir* Plus a...
857 Il a peu au bois qui une branche n'en peut
        donner.   R
858 Il a pou en l'asne qui n'y a que le pet.   Q
859 Il avient sovent a court : qui ne peche si encort. E
860 Il avient souvent que chaceour muert de fain.   G
861 Il est assés beau qui a tous ses membres.   Q
862 Il est avis a veille vache qu'elle ne fut oncques
        veau.   Q
     Il est bien... *Voir aussi* Bien est...
863 Il est bien jeune qui huy matin fut engendré.   Q
     Il est fous... *Voir aussi* Fous est...
864 Il est foul qui en ribault se fie.   Q

865 Il est foul qui se prent o plus grant maistre
        de soy.   Q
866 Il est tens de parler et si est tens de teire.   A
867 Il est tousjours bon avoir aucune chose soubz le
        mortier.   Q
868 Il est trop avers cui Deus ne souffist.   B
869 Il estuet avoir du pain a qui veult faire souppes.   Q
870 Il fait a Dieu honte qui vilain haut monte.   P
     Il fait bon... *Voir aussi* Bon fait...
871 * Il fait bon juner aprés manger.   Ca
872 Il fet boin geüner le jour dont on est au soir saoul. C
873 Il fait bon ouvrer o conseil.   Q
874 Il fait bon pestrir prés de farine.   Ca
875 Il fait bon reculer pour meus saillir.   Ba
876 Il fait bon soffrir.   A
     Il fait mal... *Voir aussi* Mal fait...
877 Il fait mal croistre en faire.   Q
878 Il fait male fin qui art.   Q
879 Il fait mal esveillier le chien qui dort.   P
880 Il fait mal lescher mel sus espyne.   Ca
881 Il fait mal loier autrui bovel au sien.   P
882 Il fait mal menger poires a son seigneur.   Q
883 Il fait mal nourrir autruy enfant, car il s'en va
        quant il est grant.   Q
884 Il fait mal pener sur mais fondement.   P
885 Il fait mal tensser o(u) plus riche de soy.   T
886 Il folle beau qui folle par conseil.   R
887 Il i a maint asne en la foire qui s'entreresemble.   Q
     Il n'a... *Voir aussi* N'a...
888 Il n'a droit en sa peau qui ne la defent.   Q
889 Il n'a en un home que un cop ne qu'en un voirre.   A
890 Il n'a pas fait qui commence.   R
891 Il n'a pas soif qui iaue ne boit.   b

892 Il n'a que rore en pié d'agnel.   *Q*

893 Il n'a riche au monde qui die : j'abonde.   *P*

Il n'aura ja... *Voir aussi* Ja n'aura...

894 Il n'aura ja joye qui ne l'a d'amer.   *Q*

895 Il n'aura ja poulain qui n'ayt chevaistre.   *Q*

896 Il n'aura ja pou pain qui le brise.   *Q*

897 Il ne couvient pas a fol qu'on li pende cloche
        au col.   *B*

898 Il ne dit mie voir qui ment.   *A*

899 Il ne fait mie quanqu'il veult qui fait des chausses
        sa femme chapperon.   *R*

900 Il ne fit onc(que) si bon chaufer Comme a caresme
        aprés disner.   *R*

901 Il ne parle pas qui ne veult.   *Q*

902 Il ne pert [pas] son aumosne qui a son pourceau
        la donne.   *Q*

903 Il ne plut mie par tut cun il fet en cete cort.   *L*

904 Il ne plut mie tozjorz si cum il nubre.   *L*

905 Il ne puet issir dou vaissel fors que ce que on i
        a mis.   *P*

Il ne sait riens... *Voir* Riens ne sait...

906 Il ne s'en fuyt pas qui a sa maison s'en va.   *Q*

907 Il ne se tuert pas qui va bone voie.   *b*

908 Il ne se tuert pas qui vient a bon ostel.   *b*

Il n'est... *Voir aussi* N'est...

909 Il n'est chevaux qui n'ait mehaim.   *b*

910 Il n'est chierté que en amis.   *Q*

911 Il n'est dammaiges qui ne port aucun profit.   *P*

912 Il n'est mestier de pendre campane a coul a
        foul.   *T*

913 Il n'est mie loing du cul qui a la queue le tient.   *R*

Il n'est nus... *Voir aussi* Nus n'est...

914 Il n'est nulz petis amis.   *R*

915 Il n'est nul si meschant qui ne treuve sa mes-
chante. *Q*

916 Il n'est pas en vostre choais de oyseler en
nostre boys. *Q*

917 Il n'est pas eschappé qui est pendu. *Q*

918 Il n'est pas maçon qui pierre refuse. *Q*

919 Il n'est pas marchant qui n'offre. *Q*

920 Il n'est pas seigneur du sien qui n'en fait a son
talent. *Q*

921 Il n'est pas tousjours cours d'anguilles. *Q*

922 Il n'est pas usurier qui veult. *Q*

923 Il n'est pas voisin qui ne voisine. *Q*

924 Il n'est peschier que en eaue trouble. *S*

925 Il n'est pire ennemy que son presme. *Q*

926 Il n'est plus de joie que de bien faire. *A*

927 Il n'est plus hardie rien a mal faire que fame. *T*

928 Il n'est rien que gent ne facent. *Q*

929 Il n'est riens qui vaille mieus de Deu. *P*

930 Il n'est rien si bien fait ou len ne treuve a dire. *Q*

931 Il n'est rigle qui ne faile. *R*

932 Il n'est si belle compaignie qui ne departe. *Q*

933 Il n'est si biaus services comme de larron. *P*

934 Il n'est si bon chartier qui ne verse. *R*

935 Il n'est si bon maistre qui ne faille. *Q*

936 Il n'est si grant folie com de saige homme. *P*

937 Il n'est si grief chous(s)e comme d'avoir male
fame. *T*

938 Il n'est si maus dongier com de povre gent. *P*

939 Il n'est si mauz mors com de maigre pouoil. *P*

940 Il n'est si maus sours com cis qui ne weut oïr. *P*

941 Il n'est si perillouse yaue com la coie. *P*

942 Il n'est si saiges qui aucune fois ne foloit. *B*

943 Il n'est veille si chauve qui sache son adventure. *Q*

944 Il ne vait pas dou tout a honte qui de mi-voie se
       retorne.   *b*

945 Il n'y a tel comme soy.   *Q*

946 Il plaide bel qui plaide sans partie.   *R*

947 Il puet bien pou qui ne peut nuyre.   *Q*

948 Il remaint moult de ce que fous pense.   *C*

949 Il sera encore tel temps que nous n'orrons ja
       escharbot bruyre.   *Q*

950 Il se sont maint home, qui lor preste si lor
       done.   *VF*β

951 Il se traveille en vain qui gaite putain.   *P*

952 Il set trop de chasse qui a esté veneur.   *Q*

953 Il va plus au marché peaulx d'aigneaulx que de
       veilles brebis.   *Q*

954 Il vauldroit plus estre ordeux que geloux.   *Q*

     Il vaut mieuz... *Voir aussi* Mieuz vaut...

955 Il vault mieux boire a la fontaine que au ruseau.   *Q*

956 Il vault mieux croire que mescroire.   *Q*

957 Il vault mieulx Dieu prier que ses sains.   *Q*

958 Il vault mieux gaster pas que deniers.   *Q*

959 Il vault mieux parler au fevre que au fevrel.   *R*

960 Il vault mieux tart que jamais.   *R*

961 Ireus n'a conseil.   *VF*α.

962 * Ivres e forsené dient tot lor pensé.   *K'*

J

963 Ja chaitif n'aura bone escuele qui n'espande.   *L*

964 * Ja de boyssoun ne averez aulne ne de fol ami.   *Ca*

965 Ja de buisot ne ferez esprevier.   *VF*α

966 Ja de l'ome mauvés ne fera on prodome.   *VH*

967 Ja dui orgueilleus ne chevaucheront bien un asne.   *v*

968 Ja mauvés hons n'anmera preudoume.   *C*

969	Ja mauvais manior n'aura jambeit.	H
970	Ja n'aist il bon marché qui ne l'ose demander.	R
	Ja n'aura... *Voir aussi* Il n'aura ja...	
971	Ja n'aura bon sergent qui ne le norrist.	B
972	Ja ne chante le coq, si vendra le jour.	R
973	Ja ne seroit mesdisanz se n'estoit escoutanz.	B
974	Ja ne verrez preescheur qui en la fin ne demant.	VFα
975	Ja ne verrez si grant folie com de sage ome.	VA
976	Ja ne verrez si large con celui qui rien n'a.	v
977	Ja ne verroiz si mal larron con le privé.	A
978	* Ja n'iert trové bacon en lit de guaignon.	K'
979	Ja pour longue demouree n'est bon[e] amour omblie[e].	R
980	Ja teigneux n'amera pigne.	b
981	Ge n'ay cure de femme qui se farde ne de varlet qui se regarde.	Q
982	Ge ne croy pas ce que je oy dire, maiz ce que je voy.	Q
983	Je ne puis joer ne rire se li ventres ne me tire.	B
	Je ne vi... *Voir aussi* Ja ne verrez..., On (Oncques) ne vi...	
984	Je ne viz oncques paste qui ne fust mangé ou gaste.	Q
985	Je ne viz oncques prestre qui blasmast ses relicques.	Q
986	* Je ne vis unkes riche(s) muet.	Ca
987	Geu de fol n'est prouz, car il fert tot.	L
988	Gieu endommageux ne vault rien.	Q
989	Juge hastif est perilleux.	Q
990	Jugement n'espargne nului.	C

L

991	L'abay du viel chien doibt on croire.	R
992	La belle chiere amande moult l'ostel.	a
993	La beste est fort a garder qi soi meïsmes emble.	Ca
994	La bone denree a mauvaise oubliee.	Bret.
995	La bouse porte le charroy.	Q
996	La chose qui est bien amee est souvent reclamee.	G
997	La chose qui estre doit ne peut estre qu'elle ne soit.	Q
998	La couroie gist en l'eaue et n'acource point.	R
999	La debte qui est poyee ne doit plus estre demandee.	Q
1000	La fains enchace le louf dou bois.	P
1001	* La fille son veisin n'est prus.	Ca
1002	La fin loe l'oeuvre.	R
1003	La force pest le pré.	A
1004	La geline est morte qui les gros oes ponoit.	A
1005	Laidement porchacier fait son cors avillier.	Bret.
1006	L'alure fet le cheval e la meurs le home.	L
1007	La maniere fait tout.	Q
1008	La marchandise est bonne ou l'on gaigne la moitié.	Q
1009	La mer home n'atent.	Q
1010	La mort me mort quant la recort.	U
1011	La mort n'espairgne nulluy.	t
1012	La nef est au treif.	Q
1013	Langaige ne paist pas la gent.	Q
1014	* Langue n'a os, més ele fraint dos.	K'
1015	Langue n'a pas os et se les bris(s)e.	M
1016	Langue n'a point de ous et si tranche elle grouz.	U
1017	La nuit a conseil.	R

La ou... *Voir aussi* Ou...

1018	* La u cheval se vuelte, u pet u peil i remei[n]t.	K
1019	La ou Deus vuet si pluet.	b
1020	La ou est l'amour si est l'oeil.	t
1021	La ou est l'avoir est le cuer.	t
1022	La ou est le mal si est la main.	t
1023	La ou est le tresor est le cuer.	t
1024	La ou len cuide la belle voye la (y) est le bouillon.	Q
1025	La ou pain fault tout est en vente.	R
1026	* La ou payn ne remeynt genz ne sont pas saül.	Ca
1027	La ou prestre meurt, Dieux y a oeuvre.	R
1028	La petite aumosne est la bonne.	Q
1029	La piours ammors c'est de nonain.	P
1030	La pire riens qui soit c'est male famme.	P
1031	La pire roe du char bret.	A
1032	La poche sent le harenc.	A
1033	L'arc de seüz faut au besoing.	A
1034	Las bués souef marche.	v
1035	La souriz est mauvese qui ne set c'um pertuis.	C
1036	La soriz set plus d'un pertuis.	A
1037	La sorsome abat l'arne.	A
1038	La table ostee, doit len laver et boire.	t
1039	La vet la lange ou la denz duet.	L
1040	* Lavez chen, peignez chen, toutevois n'est chien que chen.	Ca

Le... *Voir aussi* Li...

1041	* Lechere est de grant coust et de petit resort.	B
1042	Lechierre ne s'eschaude point, mais il s'art.	R
1043	* Legiere est chose a destorbier ainz qu'el seit comenciee.	K'

Len... *Voir* On...

1044	Le pain au fol mengue on avant.	v
1045	L'erbe c'on connoist doit on metre a son oeil.	VFα

1046   * Lerme de femme afole sun bricun.   *Resp.*
       Lerre... *Voir aussi* Ce cuide..., Li lerre...

1047   Lerres amble de legier la ou il n'a garde.   *P*

1048   Lerres n'amera ja celui qui le respite des fourches.   *B*
       Les... *Voir aussi* Li...

1049   Les bontez ne sunt pas boinnes qui vont toutes
       d'une part.   *C*

1050   Les grans demendes ne font pas les pais.   *P*

1051   Les veux au tronc !   *Q*

1052   Les vieilles voyes sont les meilleures.   *Q*

1053   Li abis ne fait pas le relegieus (mais la bonne
       conscience).   *P*

1054   * Li beaus jours se preove au seir.   *Resp.*

1055   Le besoing fait le pechié.   *Q*

1056   Le bien sieut la gent.   *Q*

1057   Li bons celeours vainquent.   *v*

1058   Le bon commencement atrait la bonne fin.   *R*

1059   Li bons escuiers fet le boen chevalier.   *b*

1060   Li bon soufreor vaint partout.   *VH*

1061   Le Breton menace quant il a feru.   *Q*

1062   Le chat commande a sa coe.   *Q*

1063   Li chaz set bien cui barbe il leche.   *VFa.*

1064   Le chesne est bon boys qui par le mylieu se fent.   *Q*

1065   Li chiens se lieve de son souef dormir Et va au
       bourc colee recoillir.   *v*

1066   Les couillons moquent le raable.   *R*

1067   Le coulomb n'a point de fiel.   *Q*

1068   Li criz pent le larron.   *b*

1069   Li cuers fet l'euvre.   *G*

1070   * Le cul cumpiere le visné del cun.   *Resp.*

1071   Li darrians clot l'uis.   *A*

1072   Le dareyn(e) coup abat le chesne.   *Ca*

1073   Le derrenier est le mieulx aymé.   *Q*

1074	Le derrenier va le premier.	Q
1075	Le diable parle tousjours en l'Evangile.	Q
1076	Li don[s] c'on prent lie la gent.	P
1077	Li dons est perdus qui n'est reconeü[s].	N
1078	Li enfans et li yvres dient voir.	R
1079	Lieus est de fuïr et lieus est d'e[n]chaucer.	L
1080	Li fait se preu[v]ent.	U
1081	Li faiz juge l'ome.	b
1082	Le feu ne doit estre trop prés des estoupes.	Q
1083	Le four degenne la touraille.	Q
1084	Li fou[s] est coneüs sans campene.	N
1085	Li fruiz qui ne meüre sanble home sanz mesure.	Bret.
1086	Li gros du cul emporte le large du peliçon.	P
1087	Li legiers pardonners fait ranchoir en pechié.	P
1088	Li leres ne meregie qui lo restore de penre.	N
1089	Li leus ala a Romme, la laissa de son poil et neant de ses coustumes.	R
1090	Li leus n'est pas si granz come on le crie.	v
1091	Li mains suit le plus.	E
1092	Le mal ne se peut celer.	Q
1093	Les maulx sont tost venuz.	Q
1094	Les mauvais debteurs sont les mauvais presteurs.	Q
1095	Les meilleurs clers ne sont pas les plus saiges.	Q
1096	Li mestiers duit l'omme.	P
1097	Li miaus a an soi por que len le loiche.	H
1098	Li mort aus morz, li vif aus vis.	A
1099	Li mortiers sent les auz.	A
1100	Le nom ensuit l'ame.	Q
1101	Le pain est bon pour la faim.	Q
1102	Le païs est la ou len se peut vivre.	Q
1103	Le plus chier est le meilleur.	Q
1104	Le plus de la noise vault le moins de l'argent.	Q
1105	Le plus digne emporte le moins digne.	Q

1106	Li plus enporte le moins.	F
1107	Le poil qui ne peut durer ung an ne vault rien.	Q
1108	Les poucins mainent les gelines.	Q
1109	Li prestrez soit honnis qui blasme ses reliques.	t
1110	Li reboivres tout la soit.	L
1111	Le rechief est le pire.	Q
1112	Li roge matin et li consail feminin ne sunt pas a croire.	L
1113	Li roge vespre et lo consal le prestre sunt bien a croire.	L
1114	Li roge vespre signefie bel, roge matin pluie.	L
1115	Le roy jure sa couronne qui puis la rapelle.	Q
1116	Le roy pert son droit la ou il ne treuve que prendre.	Q
	Li saous... *Voir* Ne set li saous...	
1117	Le sens fault aucune foiz au besoing.	Q
1118	Le songe que len voit est legers a espundre.	L
1119	Li taimgneus aimme plus une coiffe que trois peres de pignes.	C
1120	Le temps requiert somme.	Q
1121	Li tens s'en veit et ge n'ai riens feit.	A
1122	Li tortiaus est bon qui garde la fourme.	Q
	Li uns... *Voir aussi* Uns...	
1123	L'un asne appelle l'autre roigneux.	Q
1124	L'un bien actraict l'autre, et l'une povreté l'autre.	Q
1125	L'un bogon fait l'autre vendre.	VH
1126	Li uns me poile, li autres me tolt.	A
1127	Li uns pechiez atrait l'autre.	P
1128	L'un petit croist l'autre.	Q
1129	Li uns pleure, li autres rit.	G
1130	L'un va avant et l'autre arriere.	Q
1131	Li ventres soit crevez dont li hom est blasmez.	Bret.
1132	Li vilains en la fin resamble matin.	M

1133	Le vin est bon qui en prent par raison.	Q
1134	Li vins respandus ne sera ja toz reculus.	G
1135	Li vins sent le terroer.	A
1136	Li vis a pou d'ammis et li mors n'en a nus.	P
1137	Loiaulté dort.	Q
1138	Loier est sorcier.	Q
1139	Longue corroie tire qui la mort son voisin desire.	v
1140	Longe demoree fait ami noval.	N
1141	Longue pluie beaucoup ennuye.	S
	Longue voie... *Voir* Petiz fez...	
1142	L'orgoilliouse cudance fait la foule panse.	N
1143	L'oue morte...	T
1144	L'uevre se preuve.	b
	L'un... *Voir* Li uns...	
1145	L'une amour engendre l'autre.	Q
1146	L'une bonté l'autre requiert.	A
1147	L'une debte amaine l'autre.	Q
1148	L'une main leve l'autre.	H

M

1149	Maaille n'est perdue qui sauve denier.	VFα
1150	* Main u dout, oil u vout.	I
1151	Mains grievent li mal de c'on se prent garde.	P
1152	Maint fol a barbe.	K'
1153	Maint fol pest Deus, mainte fole a bele cote.	A
1154	Meint home cuillent la verge dont il sunt batu.	B
1155	Maise renommee va plus tost que la bonne.	P
1156	Maistre qui desensaigne son aprenant mehaigne.	Bret.
	Mal... *Voir aussi* Mar..., Maus...	
1157	Mal advisé a assés paine.	R
1158	Mal atent . qui pent.	A
1159	Mal batuz longuement plore.	A

160	Mal chanter fait a ventre vuit.	*A*
161	Mal dis de mon ammi et mal n'en voil oïr.	*P*
	Mal done... *Voir* Pou done...	
162	* Male buche deit l'um luer.	*I*
163	Male chauce et deschauce.	*t*
164	Male herbe croist.	*U'*
165	Malement celera autrui qui soi meïsmes ne puet celer.	*VFα*
166	Malement donra le sien qui l'autrui tout.	*C*
167	Mal enfant berce qui le dyable endort.	*R*
168	Male pasture fet male berbit.	*L*
	Mal est bailliz... *Voir aussi* Dolenz...	
169	Mal est bailli ki a ses nuces n'est.	*VD*
	Mal fait... *Voir aussi* Il fait mal...	
170	Mal fait la chappe qui ne fet le chaperon.	*VFα*
171	Mal fait tencier a son voisin.	*VA*
172	Mal joër fet a ventre(s).	*H*
173	Malleïsson de veille n'abat four.	*Q*
174	Mal neure qui n'assaveure.	*VFγ*
175	Mal oyt le bien qui ne l'aprent.	*Q*
176	Mal partir fest a(u) seignour.	*VD*
177	Mal plaidier fait a son seigneur.	*R*
178	Mal prie qui s'oblie.	*B*
179	Mal se cuevre cui le cul pert.	*H*
180	Mal se garde du larron qui l'enclot en sa meson.	*D*
181	Mal se moille qui ne s'essuie.	*A*
182	Mal se prent garde de lui qui le sien oublie.	*P*
183	Mal s'est chaufez qui toz s'est ars.	*A*
184	Mal sur mal n'est pas aÿe.	*Q*
185	Mal venge sa honte qui la croist.	*VFα*
186	* Manche desiree fait cort braz.	*K'*
187	* Manger sans baivre est a berbiz.	*Ca*
	Mar... *Voir aussi* Mal...	

1188	Mar acroit qui ne doit rendre.	B
1189	Mar atant qui ne paratant.	b
1190	Marchié devisé vaint.	Q
1191	Mar est batuz qui plorer n'ose.	A
1192	Mar fu nez qui ne s'amande.	B
1193	Mar fu nés qui prie.	VA
1194	* Mar fu nez qi primes veit e puis chatonne.	Ca
1195	* Mar manjue qui ne beit.	K'
1196	Mar vit li piez la dent.	A
1197	Matin lever et tart coucher n'est eür de bien avoir.	Q
1198	Matin lever fait loing veoir.	A
1199	Matin lever n'est pas eür.	C
1200	Matin mangier fait loing veoir.	A
1201	Maus arbres ne fet bon frut ne maus anaps [bon boire].	L
1202	Mal de dent et mal d'enfant sont les plus grans qui soyent.	Q
1203	Mal de ventre chie sempres.	L
1204	Mauvés chiens ne trueve ou mordre.	b
1205	Mauvais conseil fait moult mal.	Q
1206	Mauvaise coustume fait moult mal.	Q
1207	Mauvese garde pest le lou.	b
1208	Mauvese ha[s]te n'est preuz.	Ba
1209	Mauvés est li fruiz qui ne meüre.	A
1210	Mauveise viande feit vielle jument.	G
1211	* Malvais guispeillon a en coue de guaignon.	K'
1212	Mauvais hoir se desherite.	Q
1213	Mauvés hom est a tuer.	Bret.
1214	Mauvais ouvriers ne peut trover bonne huitille.	P
1215	Mauvés ovriers ne trovera ja bon hostill.	A'
1216	Mauvés pert quanque il fet.	b
1217	Menaces ne sunt launces.	Ca

1218 Menacié vivent, decolé muerent.   B
1219 * Menchunge fait a criendre.   K'
     Mentir... *Voir* Bons mentirs...
1220 Menue[s] parceles ensemble sunt beles.   L
1221 Merciers sont rebra[c]yez.   Q
1222 Merde n'est pas rasouer.   Q
1223 Mere piteuse fet fille teigneuse.   b
1224 * Mere que mere.   K
1225 Meres et filles donnans et prendans sont amies. VA
1226 Mesdires n'est pas vasselages.   a
1227 Messagiers ne doit bien oïr ne mal avoir.   B
1228 Mestier n'est preux qui ne pert.   R
1229 Mesure dure.   VA
1230 Metez fol par soi, si pensera de soi.   L
1231 Me(s)t pain a dent, si te vendra tallent.   R
1232 Metre doit qui prenre velt.   Bret.
1233 Mieuz aime truie bran que rose.   B
1234 Mieiz avient a l'un de poire ke a l'autre d'es-
       ternuer.   L
1235 Mielz se doit essorer musart que esprouver.   Bret.
1236 Mieuz se vaut tere que folie dire.   C
1237 Meauz valent les vieilles voies que les noveles.   B
     Mieuz vaut... *Voir aussi* Il vaut mieuz...
1238 Mieiz vaut a bon ore nestre que de bons estre. L
1239 Mieux vault aise que orgueil.   R
1240 Muez vaut amis an place que argent an borse.   N
1241 Mieuz vault amis en voie que deniers en cor-
       roie.   A
1242 Mieuz vault assez que trop.   A
1243 Mieulx vault bataille que la mort.   Q
1244 Mieus vaut bonne attente que malvaise haste.   P
1245 Mieus vaut bone fuite que mauvese atente.   G
1246 * Miez vaut bone raison que abay de guaignon. K'

1247 Mieulx vault bonne vente que bonnes denrees. *Q*

1248 Meauz vaut bons atendres que folement enchau-
cier. *B*

1249 Mieus vaut bons de soingnans que mauvais d'es-
pouse. *P*

1250 Meauz vaut bons escondiz que mauvés attrez. *B*

1251 Meauz vaut bons garderres que bons gaaignierres. *b*

1252 Mielz valt bons petiz que grant mauvais. *VF*β

1253 Mieux vault bon[s] que beaux. *R*

1254 Mieus vaut bons taires que fous parlers. *VF*α

1255 Mieux vault bouffee de clerc que journee de
vilain. *R*

1256 Mieuz vault corte folie que longue. *A*

1257 Mieux vault co(u)rtois mort que vilain vif. *R*

1258 Meiz vaut cort ser que long ester. *L*

1259 * Mieuz valt cul ruïnus que chief teinus. *K*

1260 * Mieuz valt de bone gent (e buen) estre e munter
Que de halte genz e enfern aler. *K*

1261 Mieux vault descendre que ch[e]oir. *R*

1262 * Meuz valt emprunter e rendre que embler
e p(r)endre. *K*

1263 Mieux vault [eürs] que trop beau non. *R*

1264 * Meuz vaut gros qe nu(e) dos. *Ca*

1265 * Mieiz vaut honour que ventre. *L*

1266 Mieulx vault leite que douzaine. *Q*

1267 * Mieuz valt maloïr que prester e nunjeïr. *K*

1268 * Miez valt menestrel que espreverel. *K'*

1269 Mieiz vaut mentir pur bien avoir que perdre pur
dire voir. *L*

1270 Mieuz vaut mestier que esprevier. *c*

1271 Mieuz vaut mien que nostre. *VA*

1272 Mius vaut morir a joe que vivre a onte. *N*

1273 * Meulz vaut nature que nurreture. *I*

274 * Miez vaut ouan un of que en tens un bof. K'
275 * Meuz vaut paile en dent qe nient. Ca
276 Meauz vaut peins en met que escuz en paroi. B
277 * Meuz vaut piece de porc(e) que haunche de
   asne. Ca
278 Meauz vaut plein poing de bone vie Que ne fait
   un mui de clergie. b
279 Mieux vault pleurechante que chantepleure. R
280 * Meuz valt pume duné que mangé. I
281 Mieiz vaut prés jonchier[e] que loin pra[i]er[e]. L
282 Miaus vaut proichiens vesins que lointiens amis. H
283 Mieulx vault savoir que avoir. Q
284 * Meuz vaut savoir ke soz paroir. VD
285 Meus vaut science que richece. Ba
286 Mieux vault sens achatés que sens empruntés. R
287 Meauz vaut sens que force. B
288 Mieiz vaut silont pain aler que sanz pain estre. L
289 Mieux vault sure que nulle. R
290 Mielz valt tendre que rompre. A
291 Mieus vaut terre gastee que terre perdue. P
292 * Meuz vaut teste covert qe nue. Ca
293 Mieus vaut tous maus souffrir qu'a mal consentir. P
294 * Meuz valt turn de mulin ke pet de mastin. K
295 Mieux vault tresor d'onneur que d'or. R
296 * Mieux valt of de geline que pet de reïne. K
297 Meauz vaut ués donez que mangiez. B
298 * Mielz valt un bon guardeor que set malvais
   atraieor. K'
299 * Meus vaut un seyr qe deu matins. Ca
300 Mieuz vault un « tien » que deus « tu l'auras ». A
301 Meuz valt viez dete que nuvel malant. K
302 Mieus vaut viés dete que viés haïne. G
303 * Mole convenaunce fait dure tensceon. Ca

1304 Moreau, voy la pasture : si tu veulx si menjue,
         si tu veulx si june.   Q

      Mors... *Voir* Homs mors...

      Morte est la geline... *Voir* La geline...

1305 Morte est ma fille, perdu est mon gendre.   Ca

1306 Moulin de ça, moulin de la, Si l'un ne meult,
         l'autre meuldra.   Q

1307 Moult a affaire qui la mer a a boire.   R

1308 Molt achate myel qui sor espines le leche.   K'

1309 Mout endure que jeune ne murt.   L

1310 Mout ennuie qui atant.   a

1311 Mult est fol, quant i[l] plut, qui de bon ostel se
         mut.   L

1312 Muit est fol qui lessa saint Ma[r]tin por saolesse. L

1313 Molt est lerres qui a larron enble.   VA

1314 Molt est loinz de Romme qui a Paris juppe.   VF₂

1315 Mont est povres qui ne voit.   B

1316 Mout est sours qui n'oit rien.   H

1317 * Mult estuvereit ferine qui en mer freit put.   K

1318 * Mout fait grant chaire quant viele vache beze. Ca

1319 * Mult waste paroles ki a chiens va.   K

1320 Moult remaint de ce que fol pense.   A

1321 Moult voit qui vit.   A

1322 Mui de forment a denier dolant celui qui ne l'a. v

N

      N'a... *Voir aussi* Il n'a...

1323 * N'ad bien qi ne l'ad del soen.   Ca

1324 Nache que nache, *ce dist li vilains.*   P

1325 N'a four baer n'a fol tencier.   A

1326 Nature fait le chien tracer.   R

1327 Nature ne puet mentir.   b

28	Nature passe norreture.	*b*
29	Nature reverture.	*A*
30	* Ne baillez pas vostre aignel a qi en voet la pel.	*Ca*
31	Ne compere ne amy, l'enfant est mort.	*Q*
32	* Ne creyre felon.	*K'*
33	Ne dire a ta femme ce que tu celer weus.	*P*
34	Ne doi a mien tenir ce dont m'estue[t] partir.	*Bret.*
35	* Ne deit guarder l'aignel qui chalenge la pel.	*K'*
36	* Ne dort a seür, ki urs leche le cul.	*K*
37	Ne fait pas ce qu'il weut qui glane.	*P*
38	Ne faut pas dou tout qui a cheval monte.	*VFα*
39	* Ne fut parfund ki n'a dunt.	*K*
40	Ne gras poucin ne sage Breton.	*A*
41	* Ne mal feire ne creire.	*I*
42	Ne me chaut que Dieu me coust, més que je l'aie.	*t*
43	Ne mettre a tes piez ce que tu tiens a tes mains.	*P*
44	Ne meur, cheval, herbe te vient.	*Q*
45	Ne muert vieille quant pié tent.	*A*
46	Ne plore pas ce que tu n'eüs onques.	*P*
47	Ne poisse, cus, ne l'orra nus.	*P*
48	Ne pour trop dire ne pour pou dire, droit ne se remue.	*Q*
49	Ne puet aver henor qui ne crient hunte.	*K'*
50	Ne peut noier qui doit pendre.	*P*
51	* Ne poet poyer haut mont qui n'entent rayson.	*K'*
52	Ne respite larron s'a droit pendre le peus.	*P*
53	* Ne set li malades que est al sein.	*K'*
54	Ne set li riches qu'est au povre.	*VFα*
55	Ne set li saous qu'est au jeün.	*VA*
56	Ne set que c'e[s]t biens qui n'essaie qu'est maus.	*P*
57	Ne set que pert qui pert son bon ammi.	*P*
58	Ne set que vaut qui n'asaveure.	*Ba*
59	Ne set vilains que esperon valent.	*B*

1360	Ne set voisin que vault molin.	A
1361	Ne sont pas tuit chevalier qui a cheval montent.	v
	N'est... *Voir aussi* Ce (Il) n'est...	
1362	N'est amis qui rien ne lait.	v
1363	N'est de home qui ne prent some.	L
1364	* N'est fu saunz fume[e] ne amour sanz semblaunt.	Ca
1365	N'est mars qui ne revienne.	Q
1366	N'est nus si fors loiens com de femme.	P
1367	N'est pas asseür qui la meson son voisin voit ardoir.	A
1368	N'est pas asseür qui trop hault monte.	S
1369	N'est pas bons compains qui tout vent retenir.	Ba
1370	N'est pas honte de chaoir, més de trop gesir.	A
1371	N'est pas or quanque luit.	A
1372	N'est pas perdu quanque en peril gist.	R
1373	N'est pas preste viande lievre en fugere.	L
1374	N'est pas sanz maladie qui moine lecherie.	B
1375	N'est pas viande qui au cuer ne plait.	P
1376	N'est saint qui n'ait sa feste.	A
1377	N'est si belle juvence qui n'estenge mourir.	Q
1378	N'est si bel rendre com laissier a prendre.	P
1379	N'est si chauz ne refroide.	VA
1380	N'est si fort ne truisse son per.	A
1381	N'est si forz qui ne cheie.	b
1382	N'est si male qui n'aïde ne si bonne qui ne nuise.	R
1383	N'est si sage qui folie ne face.	K'
1384	* N'est tot bel qui aye ne tot laid qui nuist.	K'
1385	N'est tot mal qui aïde.	v
1386	* N'estuet chandele alumer por fol trover.	K'
1387	N'esveilliez pas lou chien qui dort.	B
1388	Ne te fie mie en estrange.	G
1389	* Ne tot creire ne tot mescreire.	K'
1390	* Ne veit jour més qe ne reveigne.	Ca

391	Ne vieigne demain s'il n'aporte son pain.	A
392	Ne viel n'enfent, femme ne fol ne servir ja, je le te lo.	P
	N'i vaut... *Voir aussi* Rien ne vaut...	
393	N'i vaut celee, Deus set tot.	A
394	N'i vault noiant barat.	A
395	N'i vault noiant sayns de chat.	A
396	Noire berbiz, blanche berbiz, autant m'est se tu muerz con se tu viz.	A
397	Noire chate a soue[f] pel.	A
398	Noire geline pont blanc oef.	A
399	Noureture passe nature.	R
400	Nous suymes en la roë de Fortune.	Q
401	Nouviaus cons est proie a vit et venoisons.	P
402	Noviaus pechiez nuit et viez debte aïde.	P
403	* Nul duel sordoleir ne nule joye sorjoÿr.	K'
404	Nule chose est plus grans d'acoustumance.	P
405	Nul feu est sens fumee ne fumee sens feu.	G
406	* Nul ne bat tant sa femme cum cil qe ne l'ad.	Ca
	Nus ne doit... *Voir aussi* On ne doit...	
407	Nus ne doit feis emprendre qu'il ne puisse porter.	b
408	Nus ne fet si bien l'uevre com cil cui elle est.	b
409	Nul ne pert qu'autre ne gaigne.	R
410	Nus ne puet tant grever con privez anemis.	A
411	Nul ne set qu'a l'eul ly pent.	Ba
412	Nus ne set qu'amis vaut tant com il dure.	P
	Nus n'est... *Voir aussi* Il n'est nul...	
413	Nus n'est mal entechiez qui ne soit mahaigniez.	Bret.
414	Nus n'e[s]t parfais en toutes choses.	P
415	Nus n'est si bons qui ne puist empirer Ne si mauvais qui ne puist amander.	P
416	Nus n'est si larges con cil qui n'a que doner.	B
417	Nus n'est si riches qui n'ait mestier d'amis.	A

1418	Nus n'est vilains se de cuer ne li muet.	A
1419	Nuz ne vuet jone morir ne viel devenir.	U
1420	Nus n'ist de rive qu'il n'i rentre.	P
1421	Nus polains n'est sanz mehaim.	B
1422	* Nul seignour voet autre suffrir.	Ca
1423	Nul si long jour est qui n'eit vespre.	R
1424	Nul trop n'est bon.	Ba
1425	Nus trop n'est bons ne poi n'e[st] assez.	B

O

1426	* Od baston d'argent doit len or conquerre.	K'
1427	Ochoison trouva qui en son lit chia.	Q
1428	Ochoison trouve qui son cha(s)t ba(s)t.	R
1429	Offre ne vault rien qui a bourse ne vient.	Q
1430	Oigniez a mastin le cul, il vous chiera en la paume.	VH
1431	Oingnez le vilain la paume, et il vous chi[e]ra ens.	P
1432	Oigni lo vilain, il te chiera an la main.	N
1433	Oïrs dire vet par tout.	B
1434	Oisiaux debonaire par soi s'afaite.	A
1435	Oiseaux ne puet voler senz eles.	b
1436	Oaiseau qui grate de prés le haste, et cil qui noë de loing le touste.	Q
	Ome... *Voir* Home...	
1437	On a plus tost fait la folie que le sen.	A
1438	Len atant de plus loings aÿe.	Q
1439	On congnoit tost l'ortie qui ortier doit.	R
1440	Oncques amour et seigneurie Ne s'entretindrent compaignie.	R
1441	Onqe bien ne me ama qi pour si poy me het.	Ca
1442	Oncque chappon n'ama geline.	R
1443	Oncques Deus ne fist tel mariage Comme de poires et de formage.	t

1444	Oncque matin n'ama levrier.	R
1445	* Onqes ne vi riche(s) muet.	Ca
1446	Oncque putain n'ama preudomme.	R
1447	Len croit plus tost le mal que le bien.	Q
1448	Len dit que le jeu est bon ou len pert une noiz.	t
1449	Len doit batre le fer tandis cum il est chauz.	B
1450	On doit bien savoir a qui len parole.	A
1451	On doit bien savoir en quaresme ou len mangera, et en yver ou len gist.	A
1452	On doit bien savoir ou en gi[s]t.	E
1453	Len doit estre tous pers en compaignie.	Q
1454	Len doit faire le sault au dimenche.	Q
1455	Len doit faire l'un avant l'autre.	Q
1456	Len doit faire ou tout lesser.	Q
1457	En doit faire quant leus et tens en est.	P
1458	Len doit faire quant len peut, car on ne fait pas quant on veult.	Q
1459	Len deyt garder ou len gist en yver et ou len dine en quarreme.	Ca
1460	Len doit lesser aller ce que len ne peut tenir.	Q
1461	Len doit mectre peine a charier droit.	Q
1462	On doit porchacier an sa junece de quoi on vaile meuz an sa vailace.	N
1463	Len doit prendre le temps comme Dieu l'envoye.	Q
1464	Len doit querir en sa jeunece dont len vive en sa veillece.	b
1465	On doit reculer per meus ferir.	N
1466	On doit souffrir paciemment ce c'on ne peut amender seinnement.	P
1467	Len doit tousjours en la doubte la meilleure voye eslire.	Q
1468	On fait pluz en un jour que en un an.	U
1469	Len fet sovent mal por plus mal lesser.	L

1470	Len folaye de tous aages.	Q
1471	Len juge la monstre.	Q
1472	Len lie bien le sac ainz qu'il soit plainz.	Ba
1473	On ment tant qu'en ne set que croire.	A
1474	On n'abat pas lo chane au premier coul.	N
1475	Len n'amande pas de veillir.	Q
1476	On n'a nyent pour nyent.	R
1477	Len n'a nul demain.	Q
1478	On n'a[ura] ja bon asne viel.	R
1479	Len n'aura ja de cuer correcié clere face.	b
1480	On ne connoit pas la gent por aler la voie.	P
1481	Len ne connoist pas les genz aus drapiaus.	b
	On ne doit... *Voir aussi* Nus ne doit...	
1482	Len ne doit ja aller a nocez qui n'y est convoyé.	Q
1483	Len ne doit ja demander a bon homme dont il fut et de bon vin ou il creut.	Q
1484	Len ne doit ja home loer devant luy.	T
1485	Len ne doit ja lesser pour moyssons a faire milliere.	Q
1486	Len ne doit ja lesser pour ung moyne a faire abbé.	Q
1487	Len ne doit ja porter l'esve a la mer.	Q
1488	Len ne doit ja se marrir pour dit d'enfant.	Q
1489	Len ne doit pas acheter chat en sac.	b
1490	On ne doit pas a gras pourcel le cul oindre.	R
1491	Len ne doit pas avoir les yeulx plus grans que le ventre.	Q
1492	Len ne doit pas estre trop estroit.	Q
1493	Len ne doit pas laissier le plus pour le moins.	a
1494	On ne doit pas lier les asnes avec les chevaus.	P
1495	Len ne doit pas mectre la charue devant les beufz.	Q
1496	Len ne doit pas mectre le feu trop prés des estoupes.	Q

497	Len ne doit pas mectre sa faulx en autruy blé.	Q
498	Len ne doit pas mectre ses mains en autruy denrees.	Q
499	Len ne doit pas mectre son sens a ung enfant.	Q
500	Len ne doit pas semer toute sa semence en ung champ.	Q
501	Len ne doit pas tant mener ses mains que len vienne du plus au moins.	Q
502	Len ne doit pas venir a terre l'espee trete.	C
503	On ne doit perdre lo pou por lo prou.	N
504	Len ne fait pas a grans coups vielle.	Q
505	Len ne fet pas tout en un jor.	b
506	Len ne meurt pas pour deul avoir.	Q
507	Len ne prent pas l'oisel a la tartevele.	B
508	Len ne puet avoir trop d'amis.	Q
509	Len ne puet corre et corner.	B
510	Len ne peut de plus haultc locher que de la teste.	Q
511	On ne peut desfendre (pas bien) le chien a abaier ne le menteur a jaingler.	P
512	Len ne puet estre de touz amez.	b
513	Len ne peut faire de bois tort droicte fleche.	Q
514	Len ne puet faire de buisart espervier.	Ba
515	Len ne puet faire d'une fille deus gendres.	b
516	Len ne peut faire les mors revivre.	Q
517	Len ne peut fouir a son adventure.	Q
518	Len ne peut mectre en foul ne més ce que il y a.	Q
519	On ne puet mie avoir auques por noiant.	A
520	On ne puet mie faire de noiant grasse poree.	A
521	Len ne peut pas toutes ses hontes venger.	Q
522	Len ne peut rien prendre ou rien n'a.	Q
523	On ne puet servir a deux maistres.	S
524	Len ne puet servir ensamble (et) Dieu et lou dyable.	B

1525 Len ne s'en va pas de foire come de marchié.   *Q*
1526 On ne se puet garder de privé larron.   *R*
1527 Len ne sera ja traÿ que par le sien.   *Q*
1528 Len ne set ou len chiet.   *Q*
1529 Len ne set pas bien en qui se fier.   *Q*
1530 Len n'est sages tant que nen ait folé.   *H*
1531 Len ne vit pas de vent.   *Q*
      On ne vi... *Voir aussi* Ja ne verrez..., Je ne vi...
1532 On ne vi vieill chien mener en landon.   *A*
1533 On ne vi vieill roncin aprendre a enbler.   *A*
1534 On oblie plus tost le bien que le mal.   *P*
1535 Len parole volentiers de celui que len aime.   *B*
1536 On perd en peu d'eure ce qu'on a gaigné en long
          temps.   *R*
1537 Len puet rire et bele bouche faire.   *Resp*
1538 On peut selonc raison ce c'on veut.   *P*
1539 Len puet taunt cul grater ke la pel s'en irra.   *Resp*
1540 Len puet tant estraindre la mie que la croute ne
          vaut riens.   *C*
      Onques... *Voir* Oncques...
1541 En resgarde volentiers ce c'on aimme.   *P*
1542 On se puet bien trop teire.   *A*
1543 Len se rit plus tost du mal que du bien.   *Q*
1544 Len sert pire de soy pour mieulx avoir.   *Q*
1545 Len seit bien quant on vait, maz len ne set
          quant on revient.   *U*
1546 On seuffre a painne se c'on n'aimme pas.   *P*
1547 On seuffre les pechiez dont on est entechiez.   *P*
1548 En seuffre tout et mieus que aise.   *P*
1549 On sue bien par trop grant aise.   *P*
1550 On va volantiers ou on aimme.   *P*
1551 Or chevauche maleür(e).   *Q*
1552 Or commance le merle a fere son ny.   *Q*

1553	Or commance Marion a pesseler.	Q
1554	Or est Brie bone.	A
1555	Or est venuz qui aunera.	A
1556	Orgueilleuse samblance monstre fole cuidance.	a
1557	Or i parra qui bien le fera.	A
1558	Ors est qui or vaut.	P
1559	Ortie poignante foul est qui la plante.	Q
1560	Or va la berbis a la chievre laver.	R
1561	Or vault pis que devant.	R
1562	O[s]tes et pluie a tier[z] jour ennuie.	G
	Ou... *Voir aussi* La ou...	
1563	Ou chaz n'a soriz i revele.	A
1564	Ou chiet boise si sort noise.	$VF\beta$
1565	Ou cueur est l'escharpe.	Q
1566	* U fu n'est n'est fumee.	I
1567	Ou force vient justice pr[i]ent.	v
1568	Ou li amors est li cuers est.	P
1569	Ou lieu lo est fait le peché doit estre la penitence faite.	Ba
1570	Ou pou ou envis set famme voir dire.	P
1571	Ou rendre ou pendre.	A
1572	Ou tart ou tenpre fole fame est dolente.	C
1573	Ou tooil est le gaign.	Q
1574	Outre pouoir noient.	P
1575	Ou volentiers ou a enviz veit li prestres au sane.	A

P

1576	Pains chauz n'a que trois quartiers et li durs en a quatre.	VA
1577	Pains criez ne crieve ventre.	P
1578	Pain et vin est la viande au pelerin.	Q
	Par... *Voir aussi* Por...	

1579   Par aoust porte le prestre la pate au four.   R
1580   Par aucun mais membre dechiet la maison.   P
1581   Par aventure fait len tout.   Q
1582   Par compaignie se fait len pendre.   Q
1583   Par demander n'aquiert on pas ammis.   P
1584   Par donner dou leur, ce me sanble, Sont mere
          et fille bien ensanble.   D
1585   Par donner se fait li hons amer.   G
1586   Parent parent, dolant celui qui n'a noient.   VFα
1587   Par le petit vient len au grant.   B
1588   Par les cornes loye on les buefz.   S
1589   Par mauveis conseil va la vile a honte.   G
1590   Par mavais hoir dechient viles et manoir.   P
1591   Par nuyt semble bren farine.   R
1592   Parole mal entendue est mal jugiee.   A
1593   Parole que rois a dite ne doit estre escondite.   B
1594   Parolle qui n'est escoutee ne vault rien.   Q
1595   Parolle qui ne vault ne doit ja estre ouÿe.   Q
1596   Paroles reportees sont envelimees.   P
1597   Par orine trace chien.   Q
1598   Par petit pertruiz voit on son ami.   VFα
1599   Par toi beüs, par toi mengas, Par toi porpense
          que feras.   H
1600   Par tout a maniere.   Q
1601   Par tout est l'aventure.   Q
1602   Par tout est le peril.   Q
1603   Par vin, par fame et par dez Si vient toust
          homme a povretez.   T
1604   Pasques desirrees sont en un jor alees.   B
1605   Paques pluieuses sont froumenteuses.   C
1606   Pechié celé est demy pardonné.   Q
1607   Pechiés ne dort, *ce dit li vilains*.   G
1608   Pechié nuist.   Q

1609	Pelet avant autre devient home cauf.	L
1610	Pensee de preudomme est senz e sa parole jugement.	F
1611	Perece ne fait homece.	K'
1612	* Pereceos est devin.	K'
1613	Pereceus ne fet euvre.	b
1614	Perilleus conpangnon a en homme felon.	C
1615	Petit a petit menga le pinçon l'asne.	Q
1616	* Petite aye a grant nuist.	K'
1617	Petite chose est tost alee.	a
1618	Petit[e] estincelle engendre grant feu.	R
1619	Petite geline samble touz jors poucin.	b
1620	Petite merde conchiee grans bra[i]es.	H
1621	Petite noise atret grant gent.	b
1622	Petite nue a grant brai.	VA
1623	Petite parole esmuet grant brait.	VFα
1624	Petite plue abat grant vent.	L
	Petites... *Voir* Menues...	
1625	Petit et petit veit len loing.	A
1626	Petit fet bien a lecheor.	L
1627	Petit foisone grein de froment en gule de sengler.	L
1628	Petit cog a germe.	Q
1629	Petit donner et voulentiers Si doit valoir deux dons entiers.	Q
1630	Petit fés longue voie poise.	A
1631	* Petit gain est bel quant il vient souvent.	VD
1632	Petiz homs abat grant chesne.	b
1633	* Petit porcel avient a grant pasneie.	K'
1634	Pierre volage ne keult mousse.	VA
1635	Pire est encontre que aguez.	b
1636	Pire est gabeïz de povre que le mal que il a.	T
1637	Pire est rage de cul que de dent dolur.	L
1638	Pire est semblant que fet.	L

1639 Pire est une heure que cent.   *Q*

1640 Pitiez de cul trait lentes de chief.   *VF*

1641 Plaine lune, mer au grant.   *Q*

1642 Plaing poing de baillie cent soulz vault.   *Q*

1643 * Plançun de jenest a escoveillon revert.   *K'*

1644 Planté n'a saveur.   *C*

1645 Pluose matinee ne tot jornee.   *L*

Plus — plus... *Voir aussi* Com (Quant, Qui)
        plus...

1646 Plus apareillie chose remaint.   *v*

1647 Plus a paroles en un petit de vin que en mult
          de fein.   *L*

1648 Plus a de paroles en un mui de vin qu'il n'a en
          cent charetees de forment.   *VF*

1649 Plus despent aver que large.   *Q*

1650 Plus dure honte que chier tens.   *A*

1651 * Plus est legier a conquerre ami que a tenir.   *K'*

1652 * Plus gaigne l'un par peire ke l'aultre par ester-
          nuer.   *Resp*

1653 Plus sont de comperes que d'amis.   *VF*

1654 Plus tire cus que corde.   *v*

1655 Plus trait nature que cent beufs.   *R*

1656 Plus vienent jours que soussi.   *R*

1657 Plus vit li aingniaus, plus empire li piaus.   *P*

1658 Plus voit saiges a un oil que ne fet fous a deus.   *B*

1659 Poche a truant ne refuse rien.   *c*

1660 * Pocins chante si com de viel coc l'aprent.   *K'*

1661 * Puil en gernun prés est de bui(u)un.   *K*

1662 * Puil en mancele prés est d'esqüele.   *K*

1663 Por affermer ne por noier n'est muee la chose.   *P*

1664 Pour bon seignour grosse colee.   *VH*

1665 Por ce est li fous qu'il face la folie.   *P*

1666 Por ce est merce qu'il paire.   *R*

667   Por ce sont les dens au devant que len ne die folie.   *G*

668   Por ce te faz que tu me faces.   *A*

   Por defaute (disiete)... *Voir* Por soffrete...

669   Por donter bat on le chien devant le lyon.   *P*

670   Pour estre bien batu[e] la peau n'en sera ja
     mains vendue.   *Q*

671   Pur gaingner met len l'oue cover.   *L*

672   * Pur la duçur del bef leche le leu le pruoil.   *K*

673   Pour l'amour du buisson va la brebis a l'abri.   *Q*

674   Por l'amor dou chevalier bese la dame l'escuier.   *G*

675   Por [l']amor dou saint baise on les reliques.   *P*

676   Pur la savor dou froment manjue le chen bran.   *L*

677   Pour la soif qui fuit et qui est et qui est a venir
     doit len boivre trois foiz.   *U*

678   Por noient a consoil qui ne le croit.   *B*

679   Pour neant a la metrie qui ne la montre.   *C*

680   Por nient argue cui Deu n'ai(e)ue.   *VH*

681   Por neent chante len alleluia au cul de boef.   *L*

682   Pour neant demande pardon qui pardonner ne
     veult.   *Q*

683   Pour neant est en taverne qui ne boit.   *Q*

684   Pour neant faine qui ne maine.   *Q*

685   Por noiant fait len a mort chaudoil.   *A*

686   Pur noient lieve mavoise femme matin.   *L*

687   Pour neant list cil qui riens n'entent.   *S*

688   Por noient met len veille vaiche en lien.   *b*

689   Pour neant pense qui ne contrepense.   *Q*

690   Pour nyent plante qui ne clost.   *R*

691   * Pur nient porte len moneie ou ele n'esconte.   *Resp.*

692   Pour nyent reculle qui mal jour attent.   *R*

   Por neant s'argue... *Voir* Por neant argue...

693   Pur nient vet a bois qui merin ne quonoist.   *L*

694   Por neant va a foire qui neant n'i enploie.   *C*

1695	Por sa femme doit len tencer, por sa viande meller.	L
1696	Por soffrete de prodome assiet len bricon en haut.	A
1697	Por souffrete de sage met len en haut musart.	Ba
1698	Pour soy garde le chien la loge.	Q
1699	Pour ung morveux s'en torche deux.	Q
1700	Pour ung pecheur en perist cent.	Q
1701	Por un perdu deus retrovez.	A
1702	Por un point perdi Gaubert s'arnesse.	A
1703	Posé dessus, posé dessoubz.	Q
1704	Pot communel ne bout ouel.	L
1705	Pou crient qui n'en sovient.	Bret.
1706	Pou de chose aïde.	R
1707	Pou donne a son sergent qui son coutel leiche.	P
1708	Pou valent richeces se on n'a santé.	c
1709	Po vaut biauté senz bonté.	G
1710	* Povre conquest praie de papillon.	Resp.
1711	Povres hon fait povre plait.	v
1712	* Povre home n'a ley.	K'
1713	Povres hons ne (h)ait mestier d'atendre.	N
1714	Povres hons n'a nul ami.	a
1715	Povre homme n'a point d'escut.	Q
1716	Povreté abaisse courtoisie.	R
1717	Prés est ma cotte, plus prés est ma chemise.	Q
1718	* Preste viande lievre en genest.	K
1719	Prestres sont gent.	Q
1720	* Privé ami engigne qui en ses brais chie.	K'
1721	Privez mar achate.	A
1722	Privez sire fait fol vassal.	v
1723	Privez sire norrit fol.	M
1724	* Prodefemme ne crient pute chamberiere.	K'
1725	Prodons vueut tout bien.	c

726 Promettre sanz donner est a fol conforter.   C
727 Puis que la chose est faite, li conselz en est pris.   A
728 Puis que la parolle est yssue du corps, elle n'y
     peut ja mais entrer.   Q
729 * Putain n'iert ja pruvee de chose qu'ele face si
     a l'ovre n'est prise.   K'

Q

730 Quanque len fet par mesure si profite et dure,
     quanque len fet sans razon vait a perdicion.   U
731 Kenques amasse avers, tout emporte maufez.   P
732 Quant avient, n'avient sole.   L
733 Quant avoirs vient, et cors faut.   B
734 Quant biau vient sor bel, si pert biau sa biauté. A
735 Quant chael crest e sa dent.   L
736 Quant Deus done farine, et deables tolt sac.   B
737 Quant Dieu ne veult, ses sains ne peuent.   R
     Quant fous ne foloie... Voir Fous qui...
738 Quant foul se rit, de folie luy membre.   Q
739 Quant fous voit taillier cuir, si demende corroies. b
740 Quant Gonde voult, et Goudart n'ot cure.   Q
     Quant honeur... Voir Quant avoirs...
741 Quant il amande au malade, il empire au myre.   Q
742 Quant je serai morz, si me fetes chaudel.   A
743 Quant la charete est versee, si quer len la charere. L
744 Quant la folie est fete, li conselz en est pris.   A
745 Quant la messe fu chantee, si fu ma dame paree.   b
     Quant len... Voir Quant on...
746 Quant les dames furent parees, en sont ja les
     crois alees.   E
747 Quant li chevaus est perduz, si fermez l'estable. A
     Quant li fers... Voir Endementres, On doit batre...

1748 Quant len a tant atendu, si covient il paier.   *A*
1749 Quant len a tout mis, si couvient il paier.   *G*
1750 Quant len cuide avoir tot fait, si est tot a recom-
        mencier.   *A*
1751 Quant len fait a l'effant cen qu'i[l] v[i]aut, si
        ne plore mie.   *H*
1752 Quant Oportet vient en place, il esteut que len
        le face.   *Q*

Quant plus... *Voir aussi* Com (Que, Qui) plus...

1753 Quant plus a deables, plus veult avoir.   *A*
1754 Quant plus a de buche el feu, et plus art.   *A*
1755 Quant plus boit len, plus veult len boivre.   *A*
1756 Quant plus giele, plus estraint.   *A*
1757 Quant plus muet len la boë, et ele plus put.   *B*
1758 Quant plus remue len la jarbe, plus en chiet
        du grain.   *A*
1759 Quant sak vient au molyn, pouche en aungle.   *Ca*
1760 Quant se mue li mentonz, si se doit muer li
        homs.   *U*
1761 Quant vient lait sur lait, si pert lait sa laidure.   *H*
1762 * Quant vent legierement, soit doné largement.   *VD*
1763 Quant vous tendrois aux pies, si tendés aux plus
        jeunes.   *R*
1764 Quant vos verroiz cuir taillier, si demandez cor-
        roie.   *A*
1765 Qu'aprent poulains en denteüre Tenir le veut
        tant come il dure.   *VA*

Que... *Voir aussi* Ce que...

1766 Que ieus ne voit cuers ne deut.   *VA*
1767 * Qe oyl ne voyt quer ne desyr[e].   *Ca*
1768 Que jones aprent vieus le retient.   *G*
1769 Que lou fet a corbiau plet.   *L*
1770 Quelque pain, nule fain.   *L*

771 Que ne manjue sainz Martins se manjue ses
    asnes. *BP*

772 Que plus pert on et mains a hon. *Ba*

773 Que que fouz face jourz ne se tarde.

774 Que sires done et sers ploure ce sont lermes
    perdues. *VA*

775 Que soleyl ne veyt soleyl ne eschauf[e]. *Ca*

    Qui... *Voir aussi* Cil qui...

776 Qui a a partir si a a marrir. *Q*

777 Qui a arne tent a arne vient. *A*

778 Qui a assés argent il a assés parans. *P*

779 Qui a autel sert d'autel doit vivre. *VFα*

1780 Qui abat forz est, qui se relieve plus fort. *A*

1781 Qui a belle femme ja il n'en soit lié. *Q*

1782 Qui a bon commencement il a la moitié de s'euvre. *P*

1783 Qui a bonne femme si a bon chatel. *Q*

1784 Qui a bon serjant tanttot est manant. *L*

1785 Ki a bon veisin a bon matin. *K*

    Qui a chien a conpere... *Voir* Qui de chien...

1786 Qui a chien done son pain tost l'a mors en la
    main. *A*

1787 Qui a compaignon si a mestre. *b*

1788 Qui a deus testes si gart la plus beile. *A*

1789 Qui a eure vuet mengier ainz eure doit apa-
    rillier. *E*

1790 Qui a faite la chape il doit faire lou chaperon. *B*

1791 Qui a fame s'acompagne si a assez tançon. *U*

1792 Ki a fol s'acompaingne drois est qui s'en repente. *P*

1793 Qui a fourmage pour tous més Y le doit [bien]
    tailler espés. *R*

1794 Qi a fumer lute a deuz pars se conchie. *Ca*

1795 Qui a honte de mangier si a honte de vivre. *b*

1796 Qui ainçois vient au molin ainçois doit moldre. *A*

1797	Qui ainz nest ainz pest.	A
1798	Qui ains saut qu'il ne doit ains chiet qu'il ne vorroit.	VFα
1799	Qui aise atant aise lou fuit.	b
1800	Qui a la grace du monde si a la grace de Dieu.	Q
1801	Qui a le cul pailleux a tous jours paour que le feu n'y prenne.	Q
1802	Ki a le los de main lever bien puet dormir la matinee.	P
1803	Qui a les coups en a du pire.	Q
1804	Qui a le sien rien ne pert.	Q
1805	Qui a le vilain si a la proie.	b
1806	Qui a le vilein si a le b[u]ef.	L
1807	Qui a mais messaige il a bon devin.	P
1808	Qui a male voie veut aler n'i a que demorer.	L
1809	Qui a mal voisin si a mal matin.	A
1810	Qui a marastre a dyable en l'astre.	R
1811	Qui a mauvays serjant si a bon devin.	T
1812	Qui a mestier dou feu a son doit le quiert.	VFα
1813	Qui a pain et bourras s'i trouve assez soulaz.	Q
	Qui a pain et santé... *Voir* Qui pain a...	
1814	* Qui a parey escoute de sey s'osche.	K'
1815	Qui appelle si a paour.	Q
1816	Qui a pou Dieu ly toult.	R
1817	Qui a preudome parle si se repose.	VH
1818	* Qui a quancque il vieut nule rien ne li dieut.	K'
1819	Qui assés a ne demange plus.	P
1820	Qui asne touche et femme maine Dieu ne l'a pas gardé de paine.	Q
1821	Qui a terre si a guerre.	R
1822	Qui a tort si l'ament.	A
1823	Qui a un bon ami n'est pas touz desgarni(z).	B
1824	Qui au dyable doit aler il n'a que demorer.	B

Qui au matin... *Voir* Qui par matin...

325	Qui au premier gaigne au derrain se conchie.	*R*
326	Qui aura mal fait si amande.	*Q*
327	Qui aura paour des feulles ne voise point au boys.	*R*
328	Qui aura son foul si le lie.	*Q*
329	Qui aura son vin beü si le gart.	*Q*

Qui autel sert... *Voir* Qui a autel...

330	Qui autrui griege sey ne liege.	*K'*
331	Ki aver sert son loier pert.	*P*
332	Qui biau dit biau oie.	*A*
333	Qui biau jor voit ovrer lo doit.	*N*
334	Qui bel veut oïr bel die.	*P*
335	Qui bien aime a tart oblie.	*A*
336	Qui bien ayme bien chastie.	*Q*
337	Qui bien aime envis hai(s)t.	*R*
338	Qui bien atant ne seuratant.	*b*
339	Qui bien boit Deu voit.	*N*
340	Qui bien desire bien luy vient.	*Q*
341	Qui bien est ne se mueve.	*A*
342	Qui bien fait ne lui chault qui l'aquest.	*R*
343	Qui bien fera bien trovera.	*A*
344	Qui bien mangue et bien boit, bien chie et bien poit, il n'a mestier de mire.	*R*
345	* Qui bien oynt suef poynt.	*Ca*
346	Qui bien paie bien li doit len croire.	*A*
347	* Qui bien reguarde son desert, Si il n'y gaaigne il n'i pert.	*K'*
348	Qui bien set et le mal prent fous est tres naÿv[e]ment.	*VFα*
349	Qui bien tire deux en a.	*R*
350	Qui bien vet ne se retor[t] mie.	*L*
351	Qui bien voit e biau atant a bon droit s'an repant.	*H*

1852 Qui bien voit et le mal prent si se foloie a
escient.   E

1853 Qui bien voit et mal prant a boen droit se re-
pant.   B

1854 Qui bien voit et mal prent male goute li griet
l'oill.   A

1855 Qui boit e reboit trop fol se t[i]ent.   L

1856 Qui boit il ne mengue mie.   S

1857 Qui boit une fois o ses choux De la bouche (de)
Deu est absoulz.   Q

1858 Qui bon l'achate bon le boit.   Q

1859 Qui bon l'aura si l'envie.   Q

1860 Qui bon morsel met en sa bouche bone novele
envoie au cuer.   A

1861 Qui bon seigneur sert bon loyer en atent.   Q

1862 Qui bonté fait a fol il pert sa peinne.   P

1863 Ki bontés fait bontez atant.   P

1864 Qui boute si entre.   Q

1865 Qui bra[i]es n'a amors en son lit les oublie.   Q

1866 Qui brais a en cuve ne doit blamer autrui cer-
voise.   VFα

Qui but... *Voir* Qui le but...

1867 Qui cent solz a et cent en doit nul n'en a sien. Q

1868 Qui chace folie tost l'a prise.   A

1869 Qui chael vet a Rome chin s'e[n] revent.   L

Qui chetif envoie... *Voir* Qui fol envoie...

1870 Qui comande si demande.   VFα

1871 Quiconque saille ma jument li poleins est miens. L

1872 Qui conseil ne croit dolent s'en voit.   Ba

1873 Qui contre aguillion rebelle deus fois se point. Ba

1874 * Ki crapoud aime lune li semble.   I

1875 * Ki crent moisun ne fet milhere.   K

1876 Qui croistre ne veut le[s] nages li dolent.   L

877 Qui croit et aimme fole famme Il gaste avoir et
 cors et ame.   P

878 Qui croit mechine et dez quarrez Ja ne morra
 sanz povreté.   B

879 Qui cuide bien faire ne doit pas estre blasmé.   Q

880 Qui cuir voit taillier corroie demande.   A

881 Qui d'amer me chato[i]e si me met en lai voie. N

882 Qui dan Denier maine a son plait Quan(que)
 qu'il commande si est fait.   R

883 Qui d'autrui dit folie soi meïsmes oblie.   B

884 Qi deables achate diables deit vendre.   Ca

885 Qui de bons est des bons s'e[n] tiengne.   T

886 Qui de bons est soef fleire.   A

887 Qui de chaz [nest] ne puet muer ne sorge.   L

888 Qui de chien fait son compere n'emporte ja
 maindre baston.   Q

889 Qui dechiet mal li chiet.   Bret.

890 Qui de fer velt ouvrer si l'atende a chaufer.   Bret.

891 Qui de glaive vit de glaive deit morir.   K'

892 Qui de honeur n'a cure honte est sa droiture.   B

893 * Qui dehors est enfermé dedenz est oblié.   K'

894 Qui de legier gaigne de legier despent.   Q

895 Qui delez fol s'assiet a(u) palmes s'en reliet.   A

896 Qui de loing guete de prés i tent.   Q

897 Qui de loing se garde de prés se recueult.   B

898 Qui de loin se pourvoit de prés s'esjoist.   G

899 Qui de loin voit de prés joit.   H

900 Qui de louf parole, prés en a la coue.   P

901 Qui de moine fait son compere Le cul sa femme
 le compeire.   R

902 Qui deniers a en bourse si a vin en pot.   VA

903 Qui de pou aimme de pou het.   P

904 * Ki de reisol se covre de luis en luis ad freit.   K

1905	* Qui de tote se guarde de alcune escape.	K'
1906	Qui de tout se tait de tout a pais.	M
1907	Qui deus chace nule ne prent.	VA
1908	Qui dit bien ne dit mal.	VFβ
1909	Qui doit noyer (il) ne puet pendre.	S
1910	Qui doyt pendre ne puet noyer.	T
1911	Qui done Dieus li done, e qui ne done troupt.	H
1912	Qui d'une est deceüs de cent est mescreüs.	P
1913	Ki emprunte dou sien vit.	P
1914	Qui en jeu entre jeu consente.	E
1915	* Ki en longaigne chiet conchietz s'en lieve.	Resp
1916	Qui en puet avoir si en preingne.	F
1917	Qui entre les loups est uller l'estuet.	R
1918	Qui esc[o]ute si octroy[e].	Q
1919	Qui espant sa joute ne la requeut toute.	R
1920	Qui espargne si treuve.	Q
	Qui est... *Voir aussi* Qui sera...	
1921	Qui est a touz si est a nul.	L
1922	Qui est biaus e ne est bon refuser le doit len.	F
1923	Qui est garniz ne est honiz.	B
1924	Qui est garniz n'est desconfiz.	VH
1925	Qui est hault si a des mores, qui est bas si les aoure.	Q
1926	Qui est ivre si est fous.	L
1927	Qui est marry n'est pas courtois.	Q
1928	Qui est mauvais il cuide que chascun le resemble.	Ba
1929	Qui est mort si est mort.	R
1930	Qui est prés de l'eglise si est loing de Dieu.	Q
1931	Qui est semons n'est pas prins.	Q
1932	* Qui est tort n'est mye dreit.	K'
1933	Qui estuie de son digner a sa marande li pert.	N
1934	Qui estuie de son diner meauz l'en est a son soper.	B
1935	Qi fait ceo que il poet ne se feynt.	Ca

936 Qui fest ceo k'il puet toutes ses leis acomplist. *VD*
937 Qui fest contre reson si se fiert de son baston. *C*
938 * Ki feit et nen ne parfait nent ne desert. *I*
939 Qui fait la folie si la boive. *Ba*
940 Qui fait son cuer se fait son duel. *N*
941 Qui fait son preu ne cuit sa main. *VFα*
942 Qui fiert ferir se vuet. *N*
943 Qui fiert l'un si boute l'autre. *G*
944 * Ki flur mange suef en elt. *Resp.*
945 Qui foi ne tient ne serement. *v*
946 Qui foul a mestre foul ly estuet estre. *Q*
947 Qui fol envoie a la mer n'i a ne pois[s]on ne el. *VFα*
948 Qui fol envoie fol atent. *VA*
949 Qui folie dit folie velt oïr. *A*
950 Ki fol norit, quant il vit, si len rit, quant
     murit, nen ne doele. *L*
951 Qi forment est boté longement chauncele. *Ca*
952 Qui forvoye si groignoye. *Q*
953 Qui fuit il treuve qui le chace. *P*
954 Qui gaagnier ne weut perte li viengne. *G*
955 Qui gaige a argent atent. *P*
956 Qui glouton haste estrangler le veut. *Ba*
957 Qui grate ne mesure. *L*
958 Qui honist home ou... *Bret.*
959 Qui honor chace honor ataint. *G*
960 Qi jesne est fous viel en ad les friçouns. *Ca*
961 Qui josnes saintist vieus enrage. *VFα*
962 * Qui lait n'a mesge manjust. *VD*
963 Qui la mort son voisin couvoite longue corroie
     tire. *VFα*
964 Qui langue a a Rome va. *v*
965 Qui la pasnaie veult avoir Il luy esteut le cul
     mouvoir. *Q*

1966	Qui le bra(a)ça si le boive.	*A*
1967	Qui le but si le soille.	*A*
1968	Qui le damaige son voisin desirre le sien li aproche.	*VFα*
1969	* Qui les soens honure sey meymes essauce.	*K'*
1970	Qui loë saint Pierre ne blasme pas saint Poul.	*Q*
1971	* Ki loign maint asez a.	*K'*
1972	* Qui longues est povres de poy s'esjoyst.	*K'*
1973	Qui lui pert d'autrui ne joit.	*D*
1974	Qui m'aime et mon chien.	*A*
1975	Qui m'eime ma boche le set.	*L*
1976	Qui mai[n]t en povreté grant geu a forjuré.	*Bret.*
1977	Qui maintes fist maintes fera.	*VFα*
1978	Qui mal a en doit gesir en doit.	*L*
1979	Qui mal dit mal luy vient.	*Q*
1980	Qui mal entent mal respont.	*R*
1981	Ki mal fait il het clarté.	*P*
1982	Ki mal fait ne creire.	*K*
1983	Qui mal fera mal trouvera.	*Ba*
1984	Qui manj[u]e mors a mors ne scet que luy chiet au corps.	*Q*
1985	Qui mavais achait fait il pert plus qu'i[l] ne gainne.	*P*
1986	Qui mauvaiz seigneur sert mauvais loyer atent.	*Ba*
1987	Qui mauvés sert son loier pert.	*b*
1988	Qui me fet faz a lui, que ne me fet ne jo lui.	*L*
1989	* Ki merde brace merde beive.	*K*
1990	* Ki merde file merde travile.	*K*
1991	Qui mesure si juge.	*Q*
1992	Qui mielz aime autrui que soi au molin fu morz de suef (*l.* soi).	*A*
1993	Qui mius aimme autrui que soi len le doit bien por fol tenir.	*E*
	Qui mieuz aime de mere... *Voir* Qui plus aime...	

1994	Qui mieulx luy fait et pire l'a.	Q
1995	Qui mieulz ne puet a sa vieille se dort.	A
1996	Qui mieuz puet mieuz face.	A
1997	Qui mielz set mieulz doit dire.	A
1998	Qui moine sert a l'uis le pert.	A
1999	Qui n'a argent si mete gage.	A
2000	Qui n'a cheval si aut a pié.	A
2002	Qui n'a de l'oë si ait de l'ailliee.	A
2002	Ki n'a de koi ne fait bel roy.	P
2003	Qui n'a gras maigre desirre.	P
2004	Qui n'aime son mestier, ne son mestier lui.	Bret.
2005	Qui n'a le corps n'a rien.	Q
2006	Qui n'a paix n'aura ja joye.	Q
2007	Qui n'a point d'argent si n'a point d'ami.	A
2008	Qui n'a que donner plus est durs que pierre.	VFα
2009	Qui n'a que l'autruy n'a rien.	Q
2010	Qui n'a q'un oill sovent le tert.	A
2011	Qui n'a santé il n'a riens.	R
2012	Qui n'a seürté n'a nul bien.	Q
2013	Qui n'a soufisance il n'a rien.	S
2014	Qui n'aura cueur si en prenne.	Q
2015	* Qi ne chet ne chevaunche.	Ca
2016	Qui ne chiet ne puet joer.	A
2017	Qui ne conte et prent (il) ne set qu'il despent.	VFα
2018	Qui ne craint honte n'aura ja honneur.	Q
2019	Qui ne croit conseil ne l'a.	Q
2020	* Qui ne creit son pere creie son parastre.	K'
2021	Qui ne donne de donné ne verra ja le regne Dé.	Q
2022	Qui ne donne len luy toult.	Q
2023	Qui ne done que aime ne prent que desirre.	A
2024	Ki ne fet ainz oure ne prent a oure.	L
2025	Qui ne fait pechié ne l'a.	Q
2026	Qui ne fait quant il puet ne fait quant il veult.	A

2027	Qui ne garde le cors, l'arme s'en fuit.	L
2028	Qui ne harpe ne trinque.	H
2029	Qui ne luite n'abat.	A
2030	Qui ne luyte ne chiet.	Q
2031	* Qui ne me creit ne jo luy.	K'
2032	Qui ne nourist le petit il n'a pas le grand.	R
2033	Ki ne norit n'asavore.	L
2034	Qui ne peiche si encort.	B
2035	Qui ne point en cime ne point en racine.	Q
2036	Qui ne point en herbe ne point en espy.	Q
2037	Qui ne puet a ung moulin voige a l'autre.	R
2038	Qui ne peut du mance si fiere de la queue.	R
2039	Qui ne peult ne peult.	Q
2040	Qui ne puet paier si soit batuz au vaillant.	A
2041	Qui ne rueve ne prent.	VFα
2042	Qui ne saura compter si perde.	Q
2043	Qui ne seme ne cuilt.	Q
2044	Ki ne set de cui garder si se gart de tous.	P
2045	Qui ne scet escorcher si malmet la pel.	Q
2046	Qui ne set parler si se teise.	A
2047	Qui ne scet que une voye est tantost prins.	Q
2048	Qui n'est biaux si se cointoit.	B
2049	Qui n'est du royaume si est de l'empire.	Q
2050	Qui n'est garni si est honny.	Q
2051	Qui ne voit ne garde.	b
2052	Qui ne vuet o moy ne je o luy.	Q
2053	Qui ne veult tenir ses mains si tiegne ses cheveux.	R
2054	Qui n'i est n'a sa part.	Q
2055	Qui n'i puet avenir s'i rue.	A
2056	Qui noie ne garde que il boit.	L
2057	* Qui od conseil ovre ne fait a blasmer.	K'
	Qui oneur... *Voir* Qui honeur...	
2058	Qui o seignor part poires il n'a pas des plus belles.	b

2059	* Qui od serorge vait a mostier senz ami s'en repaire.	K'
2060	Qui pain a et santé riches est si nel set.	v
2061	Qui paor a si s'en fuie.	A
2062	Qui par art jure par art se parjure.	Q
2063	Qui par matin prent la colee toute jor la porte.	A
2064	Qui part e prent le pe[o]ur ja n'ait il onour.	L
2065	Qui par tout ennuie ne set quel part s'en fuie.	Bret.
2066	* Qi par tut seyme en ascun lieu crest.	Ca
2067	Qui pert, au sein a mere quert.	L
2068	Qui pert et retreuve ne scet que deul est.	Q
2069	Qui petit a et petit pert de grant se diaut.	B
2070	Qui petit a petit pert.	P
2071	Qui petit engrene si [a] tost molu.	Q
2072	Qui petit me donne si veut que je vive.	C
2073	Qui petit refuse grant masse ne doit penre.	VA
2074	Qui petit seme petit queut.	A
2075	Qui plaist si a, qui ne plaist rien n'a.	Bret.
2076	Qui plenté a deu miel en sa pois le met.	L
2077	Qui plus a et plus donne (et) plus fait de sa besoigne.	Q
2078	Qui plus ainme de mere il est fause nourrice.	C
2079	Qui plus a mis plus perde.	A
2080	Qui plus a plus covoite.	A
2081	Ki plus a plus li convient.	P
2082	Qui plus beiche mains a du pain.	Q
2083	Qi plus covre le fu e plus ard(e).	Ca
2084	Qui plus despent que il ne gaine il est droi que il se faine.	N
2085	Qui plus despent qu'i[l] ne gaagne il n'a pooir d'enrichir.	C
2086	Qui plus emprent ne peut juïr, Il ne peut a honte falir.	B

2087	Qui plus empruntera plus paiera.	*Bret.*
2088	Qui plus est prés du feu de plus prés s'en chaufe.	*Q*
2089	Qui plus haut bee qu'il ne doit Sa coveitise le deçoit.	*VH*
2090	Qui plus haut monte de plus haut chiet.	*VA*
2091	Qui plus haut monte qu'il ne doit De plus haut chiet qu'il ne voldroit.	*b*
2092	Qui plus i done si l'a.	*A*
2093	Qui plus met plus prent.	*A*
2094	Qui plus se cognoist mains se prise.	*Q*
2095	Qui plus se haste moinz fait.	*U*
2096	Qui plus se mire plus se voit.	*Q*
2097	Qui plus vit plus acroist.	*R*
2098	* Qi poynt si veint.	*Ca*
2099	Qui por autrui ore por soi meïsmes labore.	*b*
2100	* Ki pur manace muert de un estrunt soit vengiez.	*Resp.*
2101	Qui pou hat pou par.	*N*
2102	Qui premier commence fait la mellee.	*Q*
2103	Qui premiers prent ne se repent.	*A*
	Qui premiers vient au molin... *Voir* Qui ainçois...	
2104	Qui preste ne jot, qui ne preste mal ot.	*VFα*
2105	Ki prie nue main il se traveille en vain.	*P*
2106	Qui promest et riens ne solt le cuer de son ami se tolt.	*B*
2107	* Ki pot e ne vout ne fra quant voudra.	*I*
2108	Qui putain convoie est bien en la voye d'aller en exil.	*Q*
	Qui que... *Voir* Quiconque...	
2109	Qui quiert son pain ne leist mie.	*Q*
2110	* Qui quiert son prou ne fait sun damage.	*K'*
2111	Qui remue pieres le[s] dois se quasse.	*H*
2112	Qui resarche sun desert, si il ne truve il ne pert.	*L*
2113	Qui riens n'a plus legierement s'en va.	*A*

2114	* Qui riens n'a rien ne pert ne ses amis nel plaignent.	K'
2115	Qui rien n'a rien n'est prisé.	Q
2116	Qui rien ne fet rien ne prent.	L
2117	Qui riens ne porte riens ne li chiet.	A
2118	Qui s'abesse Deus l'essauce.	b
2119	Qui sa comere...	Q
2120	Qui s'açoupe si s'avance.	A
2121	Qui s'acuite ne s'enconbre.	C
2122	* Ki sa femme batte sa asnesse fut.	Resp.
2123	Qui sage est doubte.	R
2124	Qui sagement seit demander Legierement puet empetreir.	U'
2125	Qui sain lie son dei sain le deslie.	K'
2126	Qui se fait brebis le leu le mengue.	R
2127	Ki se garde il se retreuve.	P
2128	Ki se loe si s'en boe.	P
2129	Qui se muert et se remue n'a amy.	t
2130	Qui s'en puet consirrer lest le sot asoter.	Bret.
2131	Qui s'entreaïdast n'eüst ja pou.	Q
2132	Qui se occit doit mourir.	Q
2133	Qui sera dangereux si se gi(e)se tout seul.	Q
2134	Qui sera marry si se deschauce.	Q
2135	Qui se remue son leu pert.	A
2136	Qui se retourne fait la mellee.	Q
2137	* Qi sert baroun si ad brahon.	Ca
2138	Qui sert et ne parsert son loier pert.	A
2139	Qui s'esloigne de cort et cort de lui.	B
2140	Qui s'esloigne de s'escuele si s'aproiche de son doumaige.	B
2141	Qui scet et demande deux foiz s'en ahanne.	Q
2142	Qui seus rit de folie li membre.	P
2143	Qui soul va soule voye tient.	Q

2144 Qui s[i]et seiche, qui vet leiche.   *A*
2145 * Qui soef charie cil vient a mayson.   *K'*
2146 Qui son chien viaut tuer la rage li met sus.   *B*
2147 * Qi son mestre ne ayme ne son mestre li.   *Ca*
2148 Qui son nés cope sa face enledist.   *A*
2149 Qui son nés taille sa face conchie.   *t*
2150 Qui s'outille ne s(e) esille.   *Q*
2151 Qui tant a fait qu'il ne puet més Bien le doit
         len lessier en pés.   *A*
2152 Qui tant l'aime tant l'achate.   *R*
2153 Qui tart se heberge courroucé s'en va coucher.   *Q*
2154 * Ki tart se herberge tost se curruce.   *I*
2155 * Ki tart vient a bien as ungles le tient.   *K*
2156 Qui te fay[t] fay luy.   *Q*
2157 Qui tel vie ne veult mener si s'en aut.   *A*
2158 Qui tempre vient a son hostel mieulx lui en est
         a son souper.   *R*
2159 Qui tient l'anguile par la coe il ne la tient mie.   *A*
2160 Qui tient la paële par la queue il la torne la ou
         il viaut.   *b*
2161 Qui tient si tiegne.   *b*
2162 Qui to(u)rne si abat.   *Q*
2163 Qui tost done deus foiz done.   *b*
2164 Qui tout covoite tout li chiet.   *t*
2165 Qui tot covoite tot pert.   *A*
2166 Qui tout dit rien ne reserve.   *Q*
2167 Qui tot me done tot me vee.   *A*
2168 * Ki tut me pramet ne me pramet.   *I*
2169 Qui tot set forz est a engignier.   *A*
2170 Qui tout tient tout pert.   *VFα*
2171 Qui tousjours prent et rien ne soult L'amour de
         son amy se toult.   *Q*
2172 Qui trecherie menne trecherie luy vient.   *Q*

173 Qui trop a enfanz e loing a ses chans sovent
       est irés.   L
174 Qui trop ·demande petit prent.   Q
175 Qui trop embrasse pou estraint.   R
176 Qui trop se haiste si s'empeeche.   B
177 Qui trop s'umilie trop se conchie.   L
178 Qui trop tent la vielle, la corde ront.   A
179 Qui une foiz escorche deus foiz ne tont.   B
180 Qui une foiz regipe deus foiz est pointz.   B
181 Qui va a Avignon travaille.   Q
182 Qui va bonne voie il ne se tuert mie.   F
183 Qui vent lou buef si fet lou fuer.   B
184 * Ki vedve u enfant sert tut sun servise pert. I
185 Qui vient au vespre, dorenlot.   A
186 * Qui vif enveie vif espeire.   K'
187 Qui vit a conte si vit a s'onte.   H
188 Qui vit a son vuell si vit a son duel.   A
189 Ki vivra se pla[i]nt.   P
190 Qui voit la meison son voisin ardoir douter doit
       de la soue.   B
191 Qui voit mangier...   L
192 Qui veult la guarison du mire Y lui convient
       son meshain dire.   R
193 Qui veut vaintre il doit souffrir.   P
194 Ki veut veindre luxure si la doit fuir.   L

R

195 Rage de cul passe mal de dens.   R
196 Recouvrer n'est pas mort.   Q
197 Regnart a descongneü sa gent.   Q
198 Renc et rime et Rome n'espargne nul home. A
199 Ribaudie ne toult eür.   R

2200 Ribaut que ribaut.   Q
2201 * Richece paist folie.   K'
2202 Riche cuer ne vaut rens en pouvre pance.   N
2203 Riche est cellui a qui souffist.   S
2204 Rische est qi loynz meynt.   Ca
2205 Riches homes ont tot le tens.   A
2206 Riches hons a meint parent.   G
2207 Riches hons ne peche, *ce dit li vilois*.   G
2208 Riches homs ne set qui amis li est.   B
2209 Riches ne set que li povres sent.   P
2210 Riens n'agree senz bele chiere.   G
2211 Riens ne fait qui ne parfait.   Ba
2212 Riens ne mengue qui ne labeure.   S
2213 Rien ne scet qui hors ne va.   Q
2214 Rien n'est rien.   Q
2215 Rien ne va ou chair va.   R
      Rien ne vaut... *Voir aussi* N'i vaut rien...
2216 Rien ne vault cognee tres cul.   Q
2217 Rien ne vault le penser si le contrepenser n'y est.   Q
2218 Rien ne vault orgueil contre aise.   Q
2219 Rit qui poit, ne rit mie cumme les autres.   L
2220 Robe refait mont home.   B
2221 Roe et rongne n'espargnent nully.   R
2222 Rois ne se doit desdire.   A
2223 Romme ne fu pas faite toute en un jor.   v
2224 Rouge vespre et blanc matin est la joye au
          pelerin.   Q
2225 * Rus chen ne enrujyra ja de hunte.   K

S

2226 Sa dete paie fous quant il conte folie.   b
2227 Sagece vaut mius que richace.   N

228	Saiges homs ne chiet ou pont.	*VFα*
229	* Sages houm(e) prent motoun en lieu de ve- noison.	*VD*
230	Saint Gabriel, bonnes nouvelles.	*S*
231	Saint Julien, bon herberc.	*Q*
232	Saint Michel ne mengue ne vache ne veau.	*Q*
	Saous... *Voir* Ne set saous...	
233	* Sa parole deit len garder.	*K'*
234	Saut la chevre en la vin[g]ne, o la mere vet la fille.	*L*
235	Se bech i a, faucille soit.	*U*
236	Se bois n'a iauz, s'a il oroilles.	*B*
237	Se chien fout, si l'achate il.	*R*
238	Se coutumiers se mue, coutume ne se remue.	*b*
239	Se droit pent, il ne murt.	*L*
	Segon... *Voir aussi* Selonc...	
240	Segon ton lit estent ton pié.	*t*
241	* Seignor e oré sunt tost mué.	*K'*
242	Se je te bout, si boute l'autre.	*Q*
243	Se les nubz cheent, les aloes sont toutes prises.	*Q*
244	Selont la jambe le caup.	*Ba*
245	Selon la ville les bourgois.	*S*
246	Selon le bras la saignee.	*Q*
247	Solom le gab dit len le voir.	*L*
248	Selonc le pechié la penitance.	*c*
249	Selonc le seignor mesnie duite.	*B*
250	Selonc le tans la tempreüre.	*v*
251	* Solonc mesure fist Deus chaud.	*Ca*
252	Se l'os est dur, le chien est ennoyeux.	*Q*
253	Se ma[s]tin prent son lievre, si le menjue il.	*Q*
254	S'en cest siecle veus vivre en pais, Oi et escoute et si te tais.	*P*
255	Sergent a roi per est a conte.	*A*
256	Se sohez fussent voir, pastorel fussent roi.	*A*

2257 Si ton voisin se va n[o]yer Tu ne dois point pour
         tant aller.   Q
      Si *(conj.)*... *Voir* Se...
2258 * Si fait ki pot.   K
2259 * Si fert ki ne veit.   I
      Soef... *Voir aussi* Aise...
2260 * Suef dort qui sa(u)ol se choche.   K'
2261 * Suef eut pain en altrui forn.   K'
2262 Soef garde son perier qui ne troeve qui i giet.   A
2263 Soef noe cui len tient le manton.   A
2264 Souef norreture ne donne eür.   R
2265 Soef se chastie qui par autrui se chastie.   A
2266 Soef trait mal qui apris l'a.   A
2267 Soef tret mesese qui a aprinse l'ese.   C
2268 So(u)ffrance a la fois torne en desheritance.   P
2269 Soffrir covient.   A
2270 Soit qui fuie, asez est que enchace.   L
2271 Son loier pert qui mauvés sert.   A
2272 Sun tens pert ki felun sert.   I
2273 So(u)per se commence par boire et matines par
         toussir.   Q
2274 * Sorfait noyst, *ço dit li vilains*.   K'
2275 Seurparler nuist, seurgrater cuist.   b
2276 Sorparler nuit et trop se reput len tere.   L
2277 Sourt n'a duel.   A
2278 Sovant est blasmez qui trop est emparlez.   b
2279 * Suros ne fait a porter ke beal s'en put deliv(e)rer. *Res.*

                              T

2280 * Tacun sur tacun a munté povre(s) hum.   K
      Tandis con... *Voir* Endementres..., Tant con...
2281 Tant a home tant est prisé.   t

2282   Tant a qui chien naige.   P

2283   Tant as tant vaus, et je tant t'ain.   VA

    Tant con... *Voir aussi* Endementres...

2284   Tant con dure, tant aiue.   VFα

2285   Tant cum je port le van, si faz je mon an.   L

2286   Tant come le chin chie, s'en vet le leu a bois.   L

2287   Tant con li geus est biaus, (tant) le doit len
      lessier,   A

2288   Tant cum len met sele, si mue novele.   L

2289   * Tant cum len offre porcel, deit len tendre
      mantel.   K'

2290   Tant con len prie le vilain, ne fera il ja bien.   A

2291   Tant crie len Noël qu'i[l] vient.   R

2292   Tant doit len blandi(e)r le chin que len soit passé.   L

2293   Tant est foul saige comme il se taist.   Q

2294   Tant estraint on les croutes que la mie en sau(s)t.   P

2295   Tantes viles, tantes guises.   VA

2296   Tantes viles, tantes istres.   A

2297   Tant grate chievre que mau gist.   v

2298   * Tant giue chael com li vieil chiens vient.   K'

2299   Tantost prins, tantost pendu.   Q

2300   Tant plusieurs, tant peieurs.   Q

2301   Tant vet la bue a l'eve qu'elle se brise la teste.   T

2302   Tant va li poz a l'aive qu'il brise.   VFβ

2303   Tant vault la chose comme elle peut estre vendue.   Q

2304   Tant vaut li homs, tant vaut sa terre.   b

2305   Tant vente il qu'il pleust.   R

2306   Tanz cuers, tantes volentez.   A

2307   Tarde que tarde(s), en avril auras Pasques.   Q

    Tart... *Voir aussi* A tart...

2308   * Tart est main a gole, quant parole est eissue.   K'

2309   Tart main a cul, quant pez est hors.   VFγ

2310   T[e]igneus de pou sainne.   P

Tel... *Voir aussi* A tel..., Teus...

2311 Tel aqueut len souz son chevron qui puis le giete
      de sa meson.   *C*

2312 Tel chael norrist on qui puis runge et menjue la
      couroie de son maistre.   *P*

2313 Tel(le) chose ait on en despit que puis est moult
      regretee.   *U'*

2314 Tele a mari qui a deul vit.   *P*

2315 Tel fois chante li menestriers que c'est de touz
      li plus courreciés.   *P*

2316 Tel foi tel chaneviere.   *VFα*

2317 * Tel la menez, tel la pernez.   *VD*

2318 Tel la mere, tel la fille.   *H*

2319 Tel le veez, tel le prenez.   *A*

2320 Tel li durras, tel le prendras.   *Ca*

2321 Tel me fai, tel te ferai.   *G*

2322 Tel piet baise on c'om vorroit qu'i[l] fust
      coppez.   *VFα*

2323 Tel samble[nt] estre bon par dehors qui sont
      mauvais par dedens.   *P*

2324 Tel te voi, tel t'espoir.   *A*

2325 Terme vient et foul s'oblie.   *Q*

2326 Teus a beaux yeulx qui ne voit goutte.   *S*

2327 Tel a bon los qui l'a a tort, tel l'a mauvais qui
      n'en peut més.   *Q*

2328 Tel a son desirrier qui a son enconbrier.   *A*

2329 Tel bat aucunesfoiz les buissons Dont ung autre
      a les oisillons.   *Q*

2330 Teus commence qui ne puet assevir.   *P*

2331 Telz comme len voit les gens len les prise.   *Q*

2332 Telz comme vous estes fusmes nous, et telz
      comme nous suymes serez vous.   *Q*

2333 Tëus consauz avant revien(nen)t.   *VFα*

34	Tel convoite qui a assez.	S
35	Teu[s] cuelt la verge dont il meïsmes est batu.	Ca
36	Tel cuide amer qui muse.	R
37	Tels cuide asavourer qui avale.	G
38	* Tel quide autre enguiner ki enguine sei meïmes.	K
39	Tel cuide avoir oeuf en feu qui n'y a que les escalles.	R
40	Tel cuide boivre autri sercot Qui paie sovent tot l'escot.	VH
41	Teilz cuide boivre son chaperon qui boit sa chappe.	U'
42	Tieus cuide boivre sor les coutiaus d'aucun Qui boit sa chappe atout le chaperon.	VFα
43	Tels cuide estre sages qui est fous.	A
44	Telz cuide estre touz sains qui est a la mort.	U'
45	Teus cuide faire compaingnie qui la depiece.	P
46	Teus cuide ferir qui tue.	P
47	Teus cuide gaingnier qui pert.	P
48	* Tel quide huer le lu ki hué l'a.	K
49	* Tel quide peire qe tut se conchie.	Resp.
50	Tel cuide plaire qui desplaist.	S
51	Teus cuide venchier sa honte qui la croist.	A
52	Tieus demande amende qui la doit donner.	C
53	Teus desirre autrui mort qui(l) la seue est moult prés.	Ba
54	Tieus est amis en la despense Qui ne l'est pas en la deffense.	C
55	Teus est comperes n'est ammis.	P
56	Tieus est petis qui bien louce.	G
57	Tel estrille Fauvel qui puis le mort.	R
58	Tel huch(i)e le chien es brebis qui ne le peut retraire.	Q
59	Teus jure de son marchié qui puis en laist.	P

2360 Tel m'a demandé dont je viens qui ne scet ou
il me tient.   *Q*

2361 Tel m'a regardé dont je menge l'oyl.   *Q*

2362 Teus me menace qui ne m'ose touchier.   *P*

2363 Tel menace qui a grant poor.   *A*
Teus ne peche... *Voir* Qui ne peche...

2364 Tieus paie l'escot qui onques n'en but.   *C*

2365 Tel paist le chien de son pain qui le mort a la
main.   *Q*

2366 Teus puet nuire qui ne puet aidier.   *VFα*

2367 Tel rechine des dens qui n'a tallent de mordre.   *R*

2368 Tels rit au matin qui au soir pleure.   *A*

2369 Tel rit et fait bonne chiere qui est courcé et
dolent en cueur.   *R*

2370 Tel se cuide avancier qui reüle.   *A*

2371 Tel se cuide bien garder qui se fiert sur le nés. *R*

2372 Tel se cuide chaufer qui s'art.   *A*

2373 Teus se cuide desjeüner qui se disne.   *G*

2374 Teus s'enbat come chiens qui vit come hon.   *VA*

2375 Tel se plaint qui n'a nul mal.   *R*

2376 Tel voit la chose en l'ostel son voisin qui ne la
vouldroit ou sien.   *Q*

2377 Tiel voit le festu en l'oil son veisin que ne voit
[ou sien].   *L*

2378 Tierce foiz c'est droiz.   *A*

2379 Tierce mie paste set.   *v*

2380 Tire, mire, buffe.   *Q*

2381 * Tol tey de mal seignor, Deus te durra meillur. *K'*

2382 Torte buche fet droit feu.   *F*

2383 Tost se(s)t li lous que male beste panse.   *N*
Toudis... *Voir* Toz dis...
Tous... *Voir* Toz... *et* Tuit...
Tousjours... *Voir* Toz jorz...

384	Tout a mestier en mesnage.	Q
	Tout belement... *Voir* Petit et petit...	
385	Tout ce que branle ne chiet pas.	Q
386	Tout ce qu'on met au chair va a la traitore.	R
387	Tout destruit orgueus ou il se me(s)t.	P
388	Tout empire par mavais hoir.	P
389	Toute parrole ne fait a croire.	t
390	Toute religion s'acorde a bon vin.	t
391	* Tute rien a nient revert fors sol tant com l'on Deu sert.	K'
392	Toute rigueur n'est pas bonne.	Q
393	Toutes armes en repos, ne més celles es prevostz.	Q
394	Tut[es] choses ne sount a crere.	Ca
395	Tute[s] choses unt lour sesoun.	Ca
396	Totes heures ne sont meures.	A
397	Tout est alé quant que Berte fila.	A
398	Tout est de Charles quant que Ogier despent.	Q
399	Tout est perdu quant qu'en a doné as mires.	A
400	Tout est perdu quanque on baille a fol.	R
401	Toutes voies est il fait ce que envis est fait.	R
402	Totevoies fu ele tondue.	A
403	Toutes voies pesche qui aucune (chose) prent.	VA
404	Tout fu autrui, tout sera autrui.	A
405	Tout ira a bien fors mariage de veille.	Q
	Tout n'est pas ors... *Voir* N'est pas ors...	
406	Tout ouvrier est digne de son loyer.	Q
407	Tout passera fors que biens faiz.	A
408	Tout surge quenques de chat ist.	P
409	* Tuz dis ami amis.	K
410	Tozdis fume mauvais tison.	S
411	Toz jorz n'avroiz vos mie pesches molez et resins douz et noiz noveles.	A
412	Tousjours ne sont pas dyables a un huys.	R

2413	Tousjours ne sont pas noces.	R
2414	Touz jourz sent le pot la saveur.	t
2415	Toz jorz sera jovenil (?) veaus.	A
2416	Toz jorz set la poche le harenc.	A
2417	Toz jorz set li mortiers les auz.	A
2418	Toz jorz set li vins le terroer.	A
2419	Touz se fait liez qui auques a.	VFα
2420	* Toz songes poet len a bien aturner.	K'
2421	Touz tans n'iert pas dans Gerous maires.	VFα
2422	Toz voirs ne fet a dire.	A
	Trop... *Voir aussi* Asez..., Mout...	
2423	Trop demeure qui ne vient.	P
2424	Trop enquerre n'est pas bon.	Ba
2425	Trop grant debonnaireté nuist.	t
2426	Trop grater cuist.	Q
2427	* Trop manace quant nul nel crient.	K'
2428	Trop parler nuist.	F
2429	* Trop puet l'on garder le perier soun ai[u]el.	VD
2430	Trop puet on menacier.	VA
2431	Trop tost vient qui male nouvele aporte.	P
2432	True ne songe se bren non.	H
2433	Tuit dit se laissent dire.	VFα
2434	Tous furent a la truie peler.	Q
2435	Tous furent de Eve et d'Adam.	Q
2436	Tuit li doi de la main ne sont mie onni.	A
2437	Tuit voir ne sont a savoir.	Bret.
2438	Tu le sauras, dit le beuf au thorel.	Q

U

	Un... *Voir* Uns...	
	Une bonté... *Voir* Bonté..., L'une bonté...	
2439	Une fois en l'an vole le chouhan.	Q

440   Une foiz est la premiere.   *Q*

441   Une fez put len hercher de cheval son veisin.   *L*

442   Une parolle bien dicte vault mieulx que deux
     mauvaisement.   *Q*

443   Une piece de bacon vault deux de lard.   *R*

444   Une veille et deux tisons   ja bonne chiere ne
     feront.   *Q*

445   Une voiz,   nulle voiz.   *Q*

     Uns... *Voir aussi* Li uns...

446   Uns boins taires vault moult.   *U'*

447   Ung chascun portera son fais.   *S*

448   Ung chat de trois mailles s'avise.   *Q*

449   Ung cheval a quatre piés chiet.   *R*

450   Ung foul conseille bien ung saige.   *Q*

451   Un jor de respit cent souz vault.   *A*

452   * Un jur porte que tut l'an ne pot.   *I*

453   Ung mauvais los vault ung grant blasme.   *Q*

454   Ung meschief ne viendra seul.   *Q*

455   Ung pas de jour vault deux de nuyt.   *Q*

456   Un petit de levain enaigrist grant paste.   *U'*

457   Use de ton pain, tu seras frans.   *P*

458   Us rent maistre.   *K'*

V

459   Vaisseaus mauvais   fait vin punais.   *Bret.*

460   Valet a prince, per a baron.   *Q*

461   Va ou tu veulx, meurs ou tu dois.   *R*

462   Vendre ou donner.   *Q*

463   Vendre que vendre, donner que donner.   *v*

464   Vente et pluet,   va cui estuet.   *v*

465   Ventres saous joue.   *H*

466   Ventre[s] saous joe, non cotelete noeve.   *A*

2467 Ventre voyde et dent agüe Va le villain a la
          charue.   Q
2468 Verité ne quiert anglez.   R
2469 Verte buche fait chault feu.   R
2470 Veve dame n'a ami.   v
2471 Veil chat est trop fort a mectre en embles.   Q
2472 Vieill chien est mal a metre en lien.   A
2473 Veille debte vient a lieu.   Q
2474 Veille haïne fait moult mal.   Q
2475 Vieille hart ne puet tortre.   A
2476 Veille heuse boit sain.   Q
2477 Vieille pel ne puet tenir cousture.   A
2478 Vient jour, vient conseil.   Ca
2479 Vien tu, parent ? Non si sovent.   A
2480 * Veuz chen enrage bien.   Ca
2481 Vieulz pechiez fet novele honte.   A
2482 * Viel runcin fait joefne puldre peire.   VD
2483 Viés plaie nuit et viés dete aïde.   VFα
2484 Villain que villain.   Q
2485 Villains correciez est demi enragiés.   U'
2486 Villain ne se marrira ja que il ne perde.   Q
          Vilains ne set... Voir Ne set vilains...
2487 Vilains toudis porquiert abaissier gentillece.   P
2488 Vin et confession descouvrent tout.   Q
2489 Vin ne espargne bource.   Q
2490 Vin trouble ne brise dent.   R
2491 Vieus est qui noient n'a et plus vieus qui ne puet. VFα
2492 Vistes piez et vistes mains ferent le pain des
          averes mains.   Q
2493 Vivre veult hom et non veillir, Maiz Nature ne
          peut souffrir.   Q
2494 * Vit red ne porte fei.   Resp.
2495 Voie batue n'aquieut herbe.   FVα

2496 Voy en quanque feras la fin a qu'en venras.   *t*
2497 Voisins tout set.   *VFα*
2498 Volunté de folle et vache qui mouche sont trop
     fors a tenir.   *Q*
2499 Volentiers ou a enviz vet li prestres au sane.   *A*
2500 Vuide chambre fait fole dame.   *v*

VARIANTES ET NOTES [1]

---

1 A anz adis. *Cp.* En sept ans vient esve a fin *Q* (*cf. Romania*,
L, 499) — 3 a faire *R*. Cf. Haur. IV, 140 — 4 plee — ennee (*cf.
Romania*, L, 500) — 5 *Cp.* A bele eure vial tondre (*Réc. d'un
mén. de Reims*, § 111) — 8 = *Z* — 9 = *GLQX*, escundur
Ca ; sage esc. *bRU'Z* — 10 = *RUU'Z*, heure *CaT* ; + qui
la fait si la treuve *QX* — 11 *cf.* 74 — 12 Au bon chouleur
la p. ly vient *RZ* (*sur ce jeu, v. Romania*, XXVIII, 178) —
14 doner de son t. qui ha le s. u f. *Ba* ; A c. qui a sa paste
au f. doit on d. de son t. *RZ* — 15 = *K'* — 16 = *bLPUX* ;
li (*Ca* si) semble bel *CaRU'Z*, son nit s. b. *QT* — 17 = *U'XZ* ;
la queue *R* — 19 = *QRZ* ; Au c. *VFα*, A coulons *UX* ;
c. sont am. *ABLX*, li sunt a. *T* ; sunt c. am. *U* — 21 *cf.* 897
— 22 = *v* ; A c. hoeses *P* ; A *manque S* ; *sing. HK'QRSTU
XV*(*FγD*) *Z. Cf.* 67 — 23 Toz jourz *U. Cf.* 1031 — 24 *Cf. Romania*, XLVIII, 521 — 26 A d. tr. trais groy et pour... (*sic*) *T*
(*cf. Romania*, L, 500) — 27 A d. trees tr. lieux (*aill.* A d. truyes
tr. lyans) — 28 A bon dr. *vX* ; boit (la) m. (m. boit) *v* ; en
son poig *VFβ* ; la *manque X* — 29 = *CaRSU'XZ* — 30 A
felon ch. *Z* — 31 *Cf. Romania*, L, 501 — 34 A renart e. rien
ne lui ch. *Z* — 35 A g. rous-genille *T* — 36 = *LX* ; Avant
bCQRU'Z, Atant *Ca* (*cf. Romania*, XLVIII, 507, n. 2) —
37 *Cp.* On aconsuit ainçoys le menteur que le clop *R* ; *Fec.
Ratis*, 157 — 39 = *BEHK'NQ Resp.* ; Lese *T*, Li leus *U*,
Occasion *S* ; le l. *t BaCaFGLSX*, les larrons *RZ. Cp.* Laise-
ment fait le pechie *Q*, et nº *1047* — 41 = *D* ; A ese *EFG* —
43 = *Ca* ; A la b. a son v. d. on faire la s. *R* — 44 En *G*
— 45 = *bdCaH* ; du roi *QRXZ* ; A court de r. *U'* ; i est

---

1. *Corr. de* (suivi d'un numéro) = *corruption de*, ailleurs = *corrigé
de* : *loc.* = *locution* ; *var.* = *variante*.

manque K'U' — 46 En *bCaU'* ; se conchie *b*, couche *Ca*, cogie *U'*. *Cp*. Helinant, VIII 10 — 48 A lengn. verra on lesquelles furent prains *RZ* — 49 vient *Q*. (Fehse, 8) — 50 *cf. 165.*

53 *cf. 660* — 54 aver m. *T* — 56 lon espreuue lor *Z* — 58 *cf. 1671* — 60 cornus *QRZ* (G. li Muisis II, 43, 244) — 61 Aloe *B* ; Fers d'al. ne se peuent cuter en sac *Q*. *Cp*. On ne peut avoir celer ne que al. en sac (avoir et celer alesnes en .i. sac) *RZ* — 62 = *CaQRZ* ; p. on bien *S* — 63 = *CaU'*. *Cp*. A. et v. font les baies (voies) peler *RZ* — 64 *cf. 2045* — 67 *cf. 22* — 68 = *RU'Z* ; autre m. *CaQ* ; Longe teile t. qui autre m. d. *L*. *Cf. 1139, 1963* — 69 et tout jourz *Ba* ; qui tout le (toute) jour *CaX* — 70 = *SZ* — 71 *Cf. Introd.*, p. XVII, n. 2 — 72 A lostel pr. (aforer *Q*) et au m. v. *QRZ* — 73 = *R* ; A mauuais ch. mauuais r. *Z* — 74 = *BU'* ; A mauvais m. *Ba*, A cher machier (*sic*) *X*, En mal temps *R*. *Cf. 11* — 76 = *tBaRZ* ; li croist *B* — 77 nest pas vaye *Q*, pechie *RZ* — 78 *ailleurs* : A pelerins — 80 se tu as — si di tu naz r. *U*. *Cf. Introd.*, p. XV, n. 2, *et le n° 2009* — 81 Tousjours a. pour ami v. *S* ; Lung amy pour lautre v. *QZ* ; + et le loup pour loueille *Q* (Fehse, 73) — 82 = *L* ; Soubz *S* ; A mal p. *VFβZ* ; A mol bergier *PQU'* ; chie l. l. *PU'VFβ*, lou lui chie l. *t CaK'QRZ*, chie li leu *VH* ; A mol p. lupus facit lanam *A*. *Cf. 1207* — 83 tout ne vaut rien *Z* (*Diz et prov.*, CCXLI) — 84 Service *RZ* ; Am. de riche homme *X* ; nest pas h. *RX* ; nest m. (nen est) fie (fieu a vassal) *LK'* ; A. de court nest pas affiement *Q* — 85 est f. *U'*. *Cf. 744* — 87 = *bCaG* — 89 *Cp*. Haur. II, 97 — 90 fors que *Ca*, tout que *QRZ* ; c. de villain *Ba*, cueur vil. *RZ* — 92 *cf. Romania*, XLVIII, 495, n. 3 — 93 = *Q* ; A riche homme son b. lui v. (sa vache souuent v.) et au (a) povre homme sa vache (son veau) lui avorte *RZ* — 95 *cf. 822, 951* — 96 *cf. 965* — 98 A petite ach. *RZ* (*cf. 106*) — 99 = *VFαZ* ; b. on bien aise *VA*, tout souef et aise *X* ; b. on souvent *R* — 100 = *RZ* ; A petit de pl. *A* ; A pou de pl. ch. gr. v. et grans orgueus en pou de tens *GP*. *Cf. 506, 1624.*

102 = *QRZ* ; A *manque* S — 103 A mauvais p. *PX* ;
bone racine *PXV(AFβ)*. *Cp. Fec. Ratis*, 462, *et le n° 1633* —
104 Qui n'a argent S (Fehse, 189) — 106 Petit e petit *H* (*cf.
Romania*, XLVIII, 512) — 107 A. grant c. *U'*, grant (tout)
deul *Q* (*RZ*). *Cf. R* 317 — 108 = *SZ* ; A. habiter (croistre)
b. *Q* — 109 *cf. 111* — 110 = *Ca*. De mortelle g. fait on (on
bien) p. *RZ* — 111 = *cU'* ; gr. pleur *tBa* (*cf.* 109) — 113
A. grant travail est r. de saison *U'* — 114 *Cf. Romania*, L, 501
— 115 le vin ou le prestre *Z* — 116 = *Q* — 118 = *bt CQXZ* ;
assez des c. *Ca* — 119 tualie *N* ; A. m. asses cueulles nappe
R (*cf. la note de l'éd.*) — 120 *cf. 542* — 121 *Cp.* Ne soyes
pas forche, soyez rastel *Q* — 123 A. souvent remues (-ees,
-ee) *BaRZ* ; A. molt (bien) rames *CaU'* ; font *R* — 124 Armes
portent p. *C* ; Armeure (Baston) porte p. *U'* (*QRZ*) —
126 qui = cui — 127 = *CaGK'* ; A tous s. *bCPRSU'X* ;
sing. Q ; A telz s. telz h. *Z* (*cp. 165*) — 128 = *atvEKK'LPX* ;
Seurement *H*, Asurement *I* — 130 = *CaRZ* — 131 *cf. 749* —
132 *Cf. Romania*, L, 501 — 133 = *GLX* ; Trop *K'* — 134 =
RUZ ; qui se complaint *X* — 136 = *RZBret.* ; A. se dort *C*, se
tait *Ca* — 137 = *QU'X* ; Bien *H* ; qui le p. t. *c BaHPRZ.*
Cf. 207 — 139 = *U'* — 140 = *CPRU'V(FαD)Z* ; qui mot
ne dit *AVFγX*, ne sonne *tK'VA*. *Cf. 1918* — 142 qui lapoit
C, la poye *Ba*, lapaise *RZ* ; A. p. plaier qi nad qe li paie *Ca*
— 143 quel p. vous estes *Ca* ; Dieu s. qui bon p. est *SG*
(*en latin*) ; *cf. 586* — 144 *ailleurs* : Prodomme trouve moult
(*Q*) — 145 A. va au moulin qui son asne y env. *RZ* —
146 = *d* — 147 = *RZ* — 148 = *U'* — 149 *cf. 151* — 150 Il
est bien v. que d. v. *Q*.

151 = *a* ; on ferme *Z* ; est pris *X* ; A t. f. sest. qui a perdu
son cheval *t* ; Tart f. len le chastel qu. li ch. est emblez *K'*.
Cf. 149, 1747 — 153 qui a lautrui (en autrui bourse) sat. *v*
— 155 = *aHPQRXZ* — 156 = *K'*. *Cp. Not. et extr.* XXXV,
158 — 157 = *P* (+ a tel maistre esteut tel vallet) — 158 A
certaine d. certain respons *Q* — 159 = *CRU'Z* — 160 = *IP* ;
itele v. *K* — 163 = *XZ* — 164 = *aGQZ*. *Cf. Romania*, XXIII,
121, v. 78 (tel soignie) — 165 = *CETUZ*. *Cf. 2249* —

167 = *d* — 168 Tout a tens (*U* atant) *tH* ; Assez tost v. *bCa*,
v. a otel (lostel) *CZ*, A. v. tost a hostel *U'*, A. va tost *Q* ;
males novelles *BC*, mauuaises n. *BaHQU'Z* ; porte *QU*,
y apporte *Z* (*cf. 2431*) — 169 *cf. 2378* — 170 = *X* ; son ami
VA ; cognoist on lami *S* — 171 = *btACEFHPQRZ* ;
A bes. *CaGLU'* ; v. li hons (lum) *GVD* ; ki est a. *VD*, qui
a. li est *G* — 172 = *P* ; Au fort b. *A* ; Au b. b. mue la chair R
(*cf. Romania*, XLVIII, 537, n. 1 ; G. li Muisis, I, 357) — 173
ailleurs : Au chief (*Q*) — 175 *Cp*. Au voir dire pert on le gieu *R*
— 176 = *PX* (*var. de 591*) — 180 O le l. *Q* — 181 est *alias*
feit la j. *E* — 182 nest pas le bons eurs *H* ; Au matin l. ne
gist pas (mie) tout li espl. *Ad* — 183 *cf. 59* — 185 la haye *X* ;
Len passe la h. par ou elle est la plus basse (foible) *Q* —
186 = *Z* ; baille on la m. *P* ; Au foul la m. *Q* — 187 *cp*.
Haur. IV, 21 — 188 Au plus m. le vireton *RZ* ; Sur le pl.
m. chiet la flesche *S* — 189 A pr. *BaU'X* ; Au premerain
c. *PVD* ; ne ch. pas *BaCaK'PU'V(FαD)XZ*, mie *V(AFβ)* ;
li arbres *CaK'U'Z. Cf. 1072, 1474* — 192 = *XG* (*en latin*) ;
la gent *F*. Haur. II, 280 — 194 = *C* ; A s. *Ca* (*var. de 50*)
— 195 = *Z* — 196 au monteiz que noust (*l.* quenoist)
len *U* — 197 len *manque U. Cf. 215 s.* — 198 = *Q* — 199 bien
b. comme mal b. *Z* (*cf. 203*) — 200 = *U'* ; Autresi *Ca* ;
s. buriaus *CDEGRTZ* ; que (quant) *ZBa* ; s. brunetes *ERZ*,
buretes *T*, brenette *U*.

201 = *cRU'Z* ; Avand *L* ; que v. *BaPX* ; le v. comme
la v. *Q* ; vache que veau *S* (*cf. S 11, et Fec. Ratis,* 17) —
203 *Cp*. Bien b. mal b. .v. sous paie *R. Cf. 199* — 205 = *cR* ;
chiche *Z* ; que l. *BaXZ* ; + et ledit passe *Q* (*cf. 1649*) —
206 cum qi cire (*l.* crie) a d. *Ca* — 207 A. vault *t* ; A. fait
celui qui tient c. celui qui e. *R. Cf. 137* — 209 A. chemine —
en ung j. c. ung limas en c. ans *Z* — 210 choier (*l.* cheoir) *R* ;
que tr. *Z* — 211 come f. qui ne chauffe *T* — 212 *cf. 1290*
— 213 Un (Une) p. lasne *CaP* ; et (*l.* el) *Ca*, et autre li
asn. (aigniers) *PN* ; Ce que p. lasne ne p. lasnier *Q* (*Fec.
Ratis*, 258) — 215 = *t* ; deit l'um loer le j. *I* (*cf. 1054*) —
216 = *L* ; et au m. *K'* ; Al seir lo lum le j. et *VD* ; le biau

jor et *DEGKVA* ; et au m. la matinee *C* ; Au v. loues louvrier et au m. vostre h. (loste) *RZ. Cf. 197, 1054* — 218 = *Z* — 220 = *GQZ* (Haur. II, 283) ; un moys *R. Cf. 992* — 221 — *RU'Z* ; hapee *C* — 222 *cf. 337* — 223 *cf. 2321* — 224 = *U'* ; bien *manque Ca* ; Tout b. va on l. *P. Cf. 1625* — 225 *cf. 228, 458* — 226 *cf. 242* — 228 tout lie *Q* ; B. pr. fol lie *Z. Cf. 230, 459* — 230 = *K. Cf. 1726* — 233 en qui hostel hom am. *Ca* ; B. s. li sires d. li hostes vault miex *U'* — 234 *var. de 233 ?* — 235 = *dHR* ; Richeut *C* ; + car plus nen portera elle *G* (*cf. Romania*, XLVIII, 516) — 236 = *bt CGHKLPQRZ* ; Besoigne *CaIU'* ; la vieille *S* — 237 Besongnieus na loy *P* ; Necessite na (na point de) loy *RZ(S)* — 238 = *U'* — 239 = *bAHK' Resp.* ; anuie a la fois *P*, souvent en. *RZ* ; Biau chaunt e. *L. Cf. 456* — 242 Ben (*l.* Beu) p. *Ca* ; Beau (Doux) p. nescorche gorge (langue) *Q(RZ). Cf. 226* — 243 = *cU'* (*cf. 1922*) ; Biaute s. bonte *BaRZ* (*cf. 1709*) — 244 trait *CIKU'* ; feit avoir grace *G* (*cf.* Haur. IV, 100 ; VI, 71) — 247 = *PV(FxA)* ; qui ses uoisins aime *VFβ*, qui son uoisin a. *VH. Cf. R* 112 — 248 Haur. II, 96 ; IV, 71. *Cf. 1838* — 250 = *U'. Cf. 1762, 1894.*

251 *cf. 440* — 252 Il est bien g. que (cui) d. garde *QR* — 254 Bien a point vient cil qui a. *S* ; Beaux est qui vient et plus beaux qui a. *R* — 256 *cf. 312* — 259 B. p. (Il pert b.) aus tez quel (qiex) li p. f. *v* ; B. p. as tez (As testes pert) qui les oules (ulles) f. *K'K* ; Aux te(l)z (tests) sçait on quel(le)s les pot(i)s f. *RZ* ; Aus teichons cognoist on les potz *S* — 260 *corr. du précédent ?* — 261 Il pert *c* ; Wile ad soun al. (Soun al. avile) *VD Resp.* ; qui au (a) cul de (du) b. la ch. *cVD Resp. Cf. 1681* — 262 = *QU'* ; Il a beau se t. (sa beau t.) *RZ* — 263 de sa pl. *Z* — 264 quel b. *P* ; Asez set chat ki b. il l. *K'VD* (*cf. 1063*) — 265 *cf. 845* — 266 = *tDFG. Cf. 1396, et Ztschr. f. rom. Phil.*, XXXVII, 460 — 267 *cp. 226* — 268 *cp. 1187* — 269 Boisson ad oreilles *CaQ*, boys escout *Ca* ; Le champ a yeux et le boys a oreilles *RZ* (*Renart le Contr.*, 27466). *Cf. Fec. Ratis*, 93, *et le n° 2236* — 270 = *R* ;

qui s. c. scet garder *Z* — 272 le cueur *Z*. *Cf. 992* — 273 qui
sauve *RZ* (*cf. 1149*) — 275 mannie *L* — 276 = *adHNPRVA*
Z ; B. iornal f. *LVF*β. Il fait mout bone j. *VF*α; qi de
merde se d. *Resp.* ; Belle cognoille fille qui dung f. s. d. *Q*
— 278 = *dB* (Haur. II, 99) ; b. l. tient *tABaL* (+ et e con-
trario) *QRU'Z*, tient b. l. *Ca* — 280 *cf. 1269* — 282 = *P*
(Mont.-Raynaud, *Rec. des fabl.*, V, 155, v. 118) — 283 B.
est li dieus qui par tout (en present) aiue *PVA* (*cf. Romania*,
XLVIII, 550) — 284 soubz *R* ; dont la p. c. cent s. *Z* —
286 *Ce prov. est précédé de* : Veritez est, ço vos conte Merlin
— 288 *cf. 1282* — 291 = *adHNPRZ*. *Cf. 833* — 292 *Cp*.
Mentir a mestier a la fiee *Q* — 293 = *Ca* ; B. messages *U'* ;
bonnes novelles *Ba* ; porte *U'* — 294 *plur. RZ* — 296 a son
overe *Ca*, en euvre *U'*, a ouvrer *Q* — 298 = *bIPU'VF*β
(41) ; rega *Ca*, reward *J*. *Cf. 1146* — 299 = *I* (9) *K* ; Honte
T ; quert *Resp.*, garde *VH* ; son per *U*.

302 *cf*. Haur. IV, 155, *et le n° 1077* — 307 *Var. de 1322*
— 308 *Var. de 1162* — 309 Bon *VF*γ = *K'* ; qui en ch.
*VF*β ; Bien labeure qui *P* — 310 Bel *VD* = *RZ* ; Bar chace
le l. *VF*β ; la proie *bCa*, praie *R* ; en rescout *K'VF*β, luy
r. *Z* ; receit *Ca*, resqueust *R* ; qui r. sa pr. *VA* — 312 B. vient
de male voie qui de *L* (*cf. 256, 944*) — 313 Buer (Bon, Bien)
j. a (au) m. *EDG* ; Buer (Biau, Bon) j. le jour *avHQ* ; qui
le soir *H*, au (a) vespre *bCaU'VA*, la nuit *VF*α, a la n. *C* ;
Bien j. le j. qui au soir a assez a mengier *Q*. *Cf. 872* —
314 = *E* ; Biau *bCFKK'RU'Z*, Bien *CaG*, Souef *DL* (*cf.
2265*) ; par autre *CaKK'L* ; qui dautrui *U'P* (*le reste manque
à P*) — 315 *Cp*. Ce av. a (en) une heure qui nav. pas a (en)
cent *RZ*. *Cf. 1468, 1639, 2452* — 316 Ades c. le l. que chascun
soit son c. *RZ* ; Lerres c. que t. autre s. si c. *P* — 317 = *HV*
(*F*α*F*β) ; Ce c. lerres *CTVD*, li laron *U* ; cuident li leres
VA ; qe t. li s. freres *Ca*. *Cf. 1928* — 318 = *Z* — 319 = *tK'* ;
ki ewe ne poest *VD* — 320 = *Z* (*Baud. de Sebourc*, IV, 46 ;
Renart, XXIII, 753) — 323 *Cp*. Méon, *Nouv. Rec.*, II, 410,
v. 505, *et la loc.* changier cire por siu (*Romania*, IX, 236, v.
117) — 324 *lis.* mestier ? *Cp*. « Adieu paniers, vendanges

sont faites » — 327 a la p. tout en e. Z (*cf. Romania*, XLVIII,
551, n. 2) — 329 *Cp*. Deux voient mieulx que ne fait ung *S*
— 333 *Var. de 2497* — 334 *cf. 1378* — 335 *Cp. Renart*, V, 272
— 337 Ceo est dr. *Cf. 222* — 338 = *RZ* (*cf. Romania*, XLVIII,
523) — 339 = *RU'Z* ; ja *manque Ca* ; bonne escuele *BaC*
(*cf. 963*) — 340 et il v. ferra (frapera) des piez *Q* [Fehse, 25].
Cp. 261 — 342 = *Q* ; Charete si voit (*l.* se boit) tout[e] *R*
(*cf. Romania*, XLVIII, 537, n. 1, *et le n° 2386*) — 344 *Cp.
Fauvel*, 1125 — 345 = *bdK'PU'Z* ; ville *C* ; Chescun veil
Ca ; pleure *R* ; Ch. v. pleint son (*l.* sa) dolur (son dueul) *LQ*
— 349 *ailleurs* : esclere ; Ch. dit j'ay bon j'ay bon, mais la
fin (veue) d. t. *RZ*.

351 faire vol. *FG* — 354 *cf. 920* — 355 = *F* ; que au
nes li p. (qui li p. au neis) *DE*. *Cf. 1411* — 356 *Cp*. Len ne
scet les adventures *Q* — 358 *Cp*. Jubinal, *Nouv. Rec.* I, 55
— 359 *cf. 46* — 360 = *I* ; ses r. lou(u)et *K*. *Cf. 450* —
364 *cp. 1137* — 365 Ch. a. est demi reffait *QRZ* — 367 *cp. 423*
— 368 moulie *R* ; f. co(s)te m. *K'* ; Ceste ch. r. fra ch. m. *L*.
Cf. Haur. VI, 70 — 372 *Var. du préc.* — 374 *Cf. Introd.*,
p. xvi, n. 1 — 375 en dens resgarder *P* ; A ch. d. ne d. on
pas garder en la b. *VA*, ne d. on (ne fault, ne f. point)
regarder en (la) gueulle *Q(RZ)*, ne d. on ez dens r. *U'* ;
A ch. d. dent (a la dent) ne gardet (regard) *LX*, n'a d.
guardee *K'*, sa d. nest a garde[r] *Ca* — 378 n'a cure qu'on
lestr. *RZ* — 379 de larer (*cf. Sal. et Marc.*, c. 55, Méon)
— 380 Cort ch. ne p. tot a p. *K'* ; La curt kein p. a p. ni
passent tut *K* (*cf. Romania*, XLVIII, 532, n. 1) — 381 = *Z*
— 382 = *G* ; piers *N* ; ne d. *K'NPU'V(AF♭)* ; Ch. en c.
compaignon (*Ca* compaignie) ne (*C* ni) d. *bc*, ne quert
voir son per *L* (*Fec. Ratis*, 65) — 383 = *Z* (*Fec. Ratis*, 101)
— 385 *cf. 388* — 386 *cf. 1782* — 387 *cf. 2458* — 388 Ch.
ueeie *U'*, donnee *R*, defendue *Z* ; la *manque Ba* (*cf. 385*)
— 391 = *vP* — 392 est a d. v. *Z* — 393 = N (*en latin*,
p. 40) — 394 qe sen bien [i] d. *Ca* — 395 = *RZ* — 396 = *CU'* ;
Celuy *Z* ; bien p. *bRZ* ; que *bZ* — 397 = *CU'* ; Celuy *Z* ;
bien r. *BaRZ* ; que *BaCaGZ* — 398 *cf. 2089 s.*

401 *Cf. Facet*, III, 557, Morawski — 402 = *RZ* —
403 Haur. VI, 70 — 404 *Cp.* Tant plus toust tant mieulx *Q*
— 406 Haur. II, 284 ; VI, 70 — 407 C. fait bien et mal *Q*
— 408 C. ne v. r. s'il n'y a tr. *RZ* — 409 *Cp.* G. li Muisis,
I, 192 — 410 Plus e. *P* ; Quant plus remuet on *VFβ* ; Qu.
len plus enmut (*l.* esmut) lordure cele (*l.* e ele ?) pl. p. *L.
Cf. 1757* — 411 matin *K* ; plus mal jur ad *K* ; Quant pl.
tost se l. le m. et plus longue journee trait *R. Cf. 1686* —
412 = *K* — 416 na serrure m. *Z* — 417 = *EFGVH* ; na
r. *VA* ; Encontre m. (la m.) nul (na n.) r. *VFαP. Cp.* Contre
la mort na medecine (nul respit ; point d'appel) *S* — 419 *cf.
693* — 420 = *G* — 422 C. uient. Ou vet le r. si vet la l. *L* ;
Si vont les lois come li seignor vuelent *VA* ; Que veult
le r. ce veult la l. *RZ* ; La l. dist ce que le r. vuelt *S* —
423 *Prov. au vil.*, 233, 6 — 424 La c. m. et l. d. *S* (*ne donne
que ce vers*) — 425 Grace *R* (*cf. 811*) — 427 C. si se r. *L. Cf. 606,
2238* — 428 *cf. 431* — 429 Cotelez *L* ; Soef t. c. en autruy
m. *Q* — 431 Covenance *bK* ; ley veynt *CaIKL*, vault *Ba* ;
Convenances vainquent l. *P. Cf. 428* — 432 *Cp.* Malvaise
couverture est de luissiaux *R* ; Len ne se peut de lemussiaus
cuter *Q* (*cf. Romania*, L, 511) — 433 *Cf.* Young, *Enseign. de
Robert de Ho*, v. 622, *note* — 437 = *cU'* ; Cuer bon *Ba*, Sanc
Q — 438 = *P* ; Quant *VH* ; Qui une av. ne li av. s. *K'* ; Cui
(Quant) vient u. ne vient s. *VAR* ; Qui aventure avent
ne v. s. *VD* ; Quant une fortune vient ne v. s. *Z. Cf. 1732,
2454* — 439 Qu. s. foulz en v. *Q* (*cf. la note de l'éd. sur R* 162)
— 440 = *HV*(*FαA*) ; Ki *K*, A cui (qui) *bCLRU'* ; ne li p.
nuls houme n. *VD*, maus hom ne li p. n. *PNU'*, *manque K.*
Cf. 251 — 441 Cui li a. est *VA* = *K'*, Cui lasnesse est *VFγ* ;
se (si) li court a la c. *V*(*FγFβ*), sel tiengne par la c. *VA* = *P*,
si li aut devers la c. *K'. Cf. Fec. Ratis*, 98, *et Ren. Contref.*,
22160 — 442 A cui *bU'* ; il *manque B* ; Cil (Celuy) a cuy
il m. tous lui mesoffrent *RZ* — 443 A qui *K'VD* ; et tuit
li m. *P* ; li duelent *VFβ*, *manque P* ; Qui le chief a enferm
t. li m. li deut *VH* (*Fec. Ratis*, 766) — 445 *Cf.* E. Rolland,
Faune populaire, IV, 29, n. 1 — 446 D. ait *K*, A deables *A* ;

tant de m. *tA* ; Mal ayent t. seignor *K'* ; a la h. *AKK'U*,
a h. *T* (*Fec. Ratis*, 727) — 447 *lis.* desr[e]iet ? — 448 Robert
de Ho, *Enseign.*, 1081, Young — 449 Dolente la s. *PU'*,
est la s. *b* ; que *U'*. *Cf. 1035* — 450 = *c* ; Fous est li pr.
PRZ ; D. ait pr. qui ses r. bl. *U'*. *Cf. 360, 985, 1109.*

452 de grant atour *N* (*en latin* ; *cf. Romania*, XLVIII, 501,
et le n⁰ 731) — 453 = *bvCIJKPQRSTU'Z* ; Dottre (De
autre) c. *CaL* ; Dautrui lreur (?) *U* ; larges corroies *VFγ*
— 454 sa feme *V*(*FαA*) (*corr. de G. Paris*) ; D'autrui belet
V(*FβH*) ; le c. sa dame voit *V*(*FβH*), mire *K'*, manera *VD*
— 455 *Cf. Romania*, L, 502 — 456 = *QT* ; De ben (*l.* beu) ch.
Ca ; senuoise on *U'*. *Cf. 239* — 457 De bel contenir *VA* (*var.*
de 456 ?) — 458 = *P VFα* ; toz *manque VFβ*. *Cf. 225* —
459 = *K'* ; De fole pr. *P* ; se f. fol lie (le) *LVD*, touz liez
V(*AFγ*) ; est li f. en joy *Ca* ; De belles promesses est f.
liez *U'*. *Cf. 228* — 462 vient mal *Q* — 463 = *vBHR* ; Pur
b. f. *IK* ; col freint *I* ; cop frait *P* — 464 et esp. *Z* — 465 De
aube g. *K'* (*Fec. Ratis*, 99) — 467 Dou b. d. prent on av.
et dou mauvais ne ce ne quoy *VFα*. *Cf. 518* — 468 De bonnes
gardes ne fu il o. tr. *VFα* — 470 fait l'om (on) bon pr.
CaU' — 471 = *Z* ; *cp. 521* — 472 D'enfrun m. m. depar-
teour *P* — 474 Des q'ons c. s. *Bret.* — 475 *cf. 1466* — 476 ne
p. len nul bien f. *C*, ne p. home (on) b. f. *CaU'* — 477 *var.*
de 476 — 478 Fehse, 191 — 479 = *CaR* ; muet *U'* ; le c.
en est prins *Z* ; De la ch. p. consel ne se remue *Bret.* —
480 = *C* ; De conte *b* ; porte *B* ; Des ouailes c. pr. le l. *Ca* ;
De (Des) brebis c. pr. le (li) l. *QR*(*U'*), mengut bien le l. *Z*
— 481 Du d. vint (vient) au (a) d. alla (en reuait) *Q*(*U'*)
— 482 baie *U'*, baiart *C*, laie le p. *Ca* — 483 *cf. 1615* —
485 = *Ca* ; grace *Z* ; gre *RZ* — 486 le melleur *C*, le meins
mal *I* ; De d. m. deit len le meins hontus eslire *K'*, Len
doit prendre de d. m. le menor *L* (*cf. 1469*) — 489 pense-
paume *Ca* ; v. fole poinne *U'* ; De la f. p. v. la *Bret.* — 490
= *U'* ; De f. et diure *VH* (*cf. 962*) ; se d. len (on) garder
cvBa, delivrer *P*. *Cf. 848, 1392* — 492 De f. ne puet venir
que f. *Ba* — 493 = *KL* ; folies *c* ; et de c. *cU'VFα* ; cor-

roies *c* — 494 = *QU'* ; De sot h. sot s. *PRZ* ; *cp*. D'un povre h. povre est le s. *S* — 496 De grant f. *d* ; qui bien a. *d* — 497 De forte c. *RZ* ; fort d. *Ca* — 499 *Cp*. Ce sont les pires bourdes que les vraies *RZ* (*cf. 2247*) — 500 *cf. 1758*.

502 *cf. 539 s.* — 504 De grande ; en grant s. *Z* ; Len vient de gr. mal a gr. s. *Q* — 506 = *CaU'* (*cf. 100*) ; De gr. anubleison p. pl. *K'* (*cf. 904*) — 507 = *QR* ; vilanye *Ca* ; gr. flac (*sic*) *Z* — 509 De j. papelart *CaVH*, angelot *RZ*. *Var. de 1961* — 510 *cf. 2496* — 512 De petit pl. a qui *RZ* (*Pamph. et Gal.*, 517, Morawski) — 514 De lointaignes t. *VA* — 515 morsure *RZ* ; De egre p. egre m. *K* (*Fec. Ratis*, 584 ; Méon, *Nouv. Rec.*, II, 258, v. 43). Cf. 727, *939* — 516 = *P* ; se cr. lois (*l.* l'oil) *L* ; dun ch. cornier *VD* ; De m. cr. on son oeil que dun tinel *VA* — 517 nen a ; De mainte *VA*, m. chose *P* ; De moult *RZ* — 518 De mauveis d. *BCaU'*, paieur *BaDEGRZ* ; pr. on paille *RZ*, estoupes *U'* ; Len doit prendre de mauvais d. av. menue *Q*. *Cf. 467* — 519 *Cp. la loc.* De meysmes sa manche li essue len le nes (*K*) — 520 *cf. 1201* — 521 *Cp*. Male (La maise) vie fait (atrait la) maise fin *S* (*P*) — 522 = *Z* — 523 *cf. 2459* — 524 De meisse *VFβ* ; De la t. on fait le f. *S* ; An fait (Len doit faire) de la t. le (la) f. *X*(*Q*) ; De m. la t. le f., quant plus en ostes et plus croist *AK'* — 525 *cf. 1303* — 526 *cf. 2114* — 530 *Cp*. Fehse, 46 ; *Diz et prov., App.* II, n° xv (*note*) — 531 = *Q* ; De n. choze *t* — 532 mest *bU'VA* ; De n. tout bel *RVD* ; Du n. semble b. *Ca* ; et *manque LVD* ; et de viel *RVAZ* ; entre pres *Ba* ; quant est viaus ne me chaut *G* — 533 = *P* ; t. est *Q* — 534 *Cp*. Len ne doit se fier en goule de chael ne en cul denfant *Q* — 535 = *bCRU'Z* ; De pecheurs *Q*, pesche *Ca* — 536 point on *RZ*, p. len bien *VFβ*, chace len *VD* = *K'* — 537 *cf. 1626* — 538 = *Z* — 539 = *RU' Z* — 540 = *P* ; De pou pou *CH*, petit *Ca* ; et *manque CaH* ; de b. piece *H*. *Cp*. De pou pou, de neant voulenté *S*, *et le n° 502* — 541 De poi *KK'Resp.* ; se chaufe *LResp.* — 542 *cf. 120* — 543 *cf. 2456* — 544 *Var. de 1623* — 547 p. pointure *R*

— 549 = *P* ; De p. lin *VD* — 550 Qui donra p. *VFα* ; Del
dable dureit p. *K*.

552 *cf. 1114* — 557 = *vK'PR* ; Si h. si b. *I* ; De tant aut
tant bais *N* — 559 *Cp.* Fehse, 232 — 561 miex estres *U*
— 563 De tel comme on a f. on a fl. *R* ; *cp.* Fay (Il esteut
faire) de tel bois que tu as (comme len a) fl. *S(Q). Cf. 617* —
564 = *BCa* ; beau f. *T. Cf. 2382* — 566 *Cf. Romania*, L, 502 —
567 En toutes choses a m. *RZ* — 569 *cf. 1526* — 571 Dessus
aRZ ; se tient *R* ; se f. le ch. chef *Ba* — 572 Len ne doit ja
trayner f. devant ung v. chal (*l.* chat) *Q* — 573 *Cp. Diz
et prov.*, LVIII 4 — 574 *Var. de 2483* — 576 = *HPRV(FαA)* ;
plur. N ; De main v. *Z* ; De v. m. vaine promesse *VD.
Cf. 2105* — 577 *Cp.* Ebert, n° 52 (*Gaydon*, 8491) — 578 *cf.
1650* — 580 D. d. buef *CQZ*, beufz *R* ; non pas par la c. *BaC*,
m. ce n'est mie par la c. (les cornes) *Z(R)* — 581 D. est
au prendre *Q* — 586 = *bC* ; bien *manque CaQRZ* ; qui est
bon (*cf. 143*) — 587 = *Q* — 588 D. est la s. qui qu. les f. *Z*
— 589 *cf. K'* 308 (= *Eccl.* X, 16) — 590 D. est la v. *K'VD* ;
ke asniers preieient *VD*, porvoit *VFβ* ; qui a son seignor
proie *VA. Cp. 1589* — 591 *cf. 176, 1193* — 594 Donnant et
prenant sont fil[e] et mere *VFα* (*cf. 1225*) — 597 Dum.
Cp. 1834 — 598 Don (*l.* Dou ?).

601 Dou — 603 = *RZN* (*en latin*) ; Mole response *S* ;
+ dur(e) parlers cuer irié empire *P* (= *Diz et prov.*, VII 2)
— 604 bon *manque Q* ; Bon droit a bon (bien) m. d. *SZ(R)*
— 605 = *R* ; revert *K'* — 606 *cf. 427, 1348* — 607 = *U'* ;
cf. 990 — 608 = *R* ; Dr. de veaus (Druge de veel) ne durent
(dure) pas toz jours *c. Cf. 718* — 609 Deux = *Z* — 610 *cf. 967*
— 611 = *Q* ; D. grese (*l.* gros) *Ca* ; en un pot *BaRSZ*, en
une selle *B* (*cf. 610*) — 612 menguent *RZ* — 613 valent *RZ*
— 614 D. org. sur ung asne *RZ* (*cf. 967*) — 615 *cf. 1128*
— 616 Deux. *Cp.* Deux povres a ung huis *RZ* — 617 = *CaU'* ;
fleche *Ba* (*cf. 563*) — 619 *Fec. Ratis*, 116 — 620 sennuye
len *Z* ; De p. m. soblie on *U'* ; Len se ennuye dun p. m. *Q* ;
On se tenne bien de blanc pain *S* — 621 De p. o. se deit
hom garder (len guecter) *CaQ* — 622 = *N* (*en latin*). *Cf. 1873*

— 623 escorce que v. (*L*) ; qi diable ou matou(e) esc. *Ca*
(*cp. 1167*) — 624 fourfeit (*cf. 2274*) — 628 = *Z* — 629 = *Z*
— 630 = *bGPU'* ; ben c. *Ca* ; En a. gisent beaux coups *RZ*
— 631 A bel s. (servise) c. graice auoir (c. eur) *U'(K')*.
Cf. 244 — 633 En moquant (soy m.) dit on bien v. *RZ*.
Cf. 2247 — 634 et malheur *Z* ; Il ny a en cest siecle que
eur et mal eur *Q* — 636 *cf. 1453* — 637 Contre la n. *RZ*,
A vespre *Ca*, Devers le soir *Q* ; se euvrent *Ba*, sesmeuvent
RZ, noisent *Q* ; li (les) limasceons *CaR*, limas *Z* — 639 Uncore
nest lesp. fait e ja se testent le (?) *I* — 640 *Cp.* Mieuz v. une
piece (taile) de b. que deus dasne *CL* (*cf. 1277, 2443*) —
642 Oncore ; *A* = *bCaRU'* ; E. reviendra *Q* — 644 *cf. 1680*
— 645 Quant *NP*, Tant comme *Q* ; sel d. on b. *P*, len le
d. b. sur lenclume *Q*, ferir lo doit on *N. Cf. 1449* — 646 *cf.*
2287 — 647 vit le loup *Z* — 648 dazet — 650 = *Z*.

652 ne loera (*cf. Baud. de Sebourc*, II 80) — 654 = *RZ* ;
En f. lomme d. f. *S* — 655 mauvaise p. *Q* — 657 = *RZ* ;
En i. plot quant pot, en e. quant deu vout *I. Cf. 1019* —
658 En la grant b. ne gist pas li savoirs *P* (*cf. Diz et prov.*,
LXV, *et le nº 1152*) — 660 = *CaVFɣ* ; En la fin *bU'*, coiffe
VFɣ ; vient *K'*, est *V(AD)* ; est li e. souvant P. *Cf. 53* — 661
= *RZ* — 662 *Fec. Ratis*, 440 — 663 En l'onnor dou s.
gaaignent li serjent *P* — 664 = *RZ* ; En larme *Ba* ; de f.
ou de femme *Ca*, de felonne *U'* ; ne *manque U'* — 665 fol
en chaiere *PQ. Cf. 1696 s.* — 666 de chien *PRS* ; querez
btPQRZ (ne *manque U*) ; oint *BaQR*, oincture *Z* ; ne qu.
point doint *S. Cf. 973* — 667 *cf. 56* — 668 = *Z* ; M. ne
demande que amendement *Q* — 670 En nul na trop (*l.* trop
n'a) *Bret. Cf. 1425* — 671 En la p. de la br. *Z* ; ce que veus
tR, ce que tu v. (vouldras) *ZQ* ; si *manque QR* — 672 = *RU'Z*
— 676 En petit lieu *P*, hostel *Q* ; bien *manque E* ; a deus
gr. part *CaDFGPQZ*, parc (*l.* part) *R* — 678 Plait ne porte
point damour *Q* ; En cent livres de pl. na pas maille (ny
a pas une m.) dam. *RZ* — 679 = *dK'LPQRZVFɑ* ; En
petit dore *bU'*, petite eure *cHS* — 685 En cel *Ba*, O tel
(cele) *c* ; cum vest (*l.* nest) *Ca* ; li hons *U'* ; lestuet m. *c* ;

En t. p. com li l. uait (l. nait) en tele le covient m. *A* ; En
la pel ou le l. n. lesconvient (le couuient il) m. *RZ* — 686 le
lever — 688 (con puet *E*) ; Len doit gr. son e. le plus que
len peult *Q* (*Fec. Ratis*, 103) — 689 = *BL* ; E. la b. et la c. *Z* ;
chet *Ba* ; v. bien enc. *P*, avient grant (maint) e. *CU'*, av.
grant (vient bien s. gr.) desturber *CaZ*, vient (advient)
s. grant (s. maint) enc. *QR* — 690 En .i. cent de *C* ; saveters
Ca ; na pas (mie) un boin souler *CU'* (Haur. II, 284) —
692 = *BCa* ; E. d. arcouns *VD* ; chiet *manque S* ; ch. cus
(cul) *BaCDGK'PSV(AFβ)*, li cus *VFγ* ; ch. le cul (le cul
ch.) *RZ* ; chiet on *EF* — 693 = *CLVFα* ; verdes *VA* ;
est m. *Ca* — 694 = *L* (16) ; vertes *RSU'Z. Cf. 419* —
695 Il a m. entre f. et d. *G* ; E. fait et dit a m. *Z* ; Il a grant
difference e. fait et dit *Q* — 697 *Cf. Romania*, L, 503 — 698
E. tieulx es tel deuien *Z* — 699 Ennuy v. *Q* — 700 Annieux
(*l.* Anu-) v. et n. b. *R* (*cf. la note de l'éd.*) ; ne mie bel *VH* ;
E. fut, met (*l.* nient) le bel *VD*.

701 *Cp. Prov. au vil.*, 271, 1-3 (*et la note de l'éd.*) — 702 nest
L ; En un quart de q. nad *Ca* (Mont.-Rayn, VI, 47, v. 29 ;
Dolop., 11267) — 704 ja mais *S* — 705 E. poet murrir *Ca* ;
mais e. *RZ* ; Envie ne peut mourir, maiz envieux meurent *Q*
— 707 = *N* (*en latin*) — 708 A peine donne loier qui l. le f.
G (*cf. 1707*) — 709 = *PRSZVA* ; A enviz *VFα*, A peine *VH*
— 710 = *LVFα* ; e. chaude *K'Z*, ch. yaue *P*, aigue boulant
VA — 712 E. mengue bien fouace (pain) *RZ* — 713 E mal a
len lui aoit (*l.* en li aoite ?) — 716 *Cp. Pamph. et Gal.*, 144,
Morawski — 718 *cf. 608* — 719 tens *manque VD* ; Et par
bel (beau tens) et par lait (lé tens) *V(AH)* — 720 *Cp.* Yaue c.
(leaue dormante) vault pis que ridoye (la courante) *RZ.
Cf. 941* — 725 *cf. 1431 s.* — 727 *cf. 515* — 729 *l.* F. äune ?
— 730 = *CaG* — 731 = *RZ* ; est comme a. *U'. Cf. 452*
— 733 = *RZ* ; Ja f. l. *c* ; p. grasse *Ba* — 735 *cp. 1397 s.*
— 736 elle *manque RS* (*cf. 738*) — 738 = *RS* (*cf. Diz et
prov.*, LXXXIII) — 739 = *RZ* — 742 li viet *U* — 743 *cp.
2449* — 745 Oncque feu *R. Cf. 1405* — 748 = *Z* — 749 *cf. 131.*
753 *cf. 1236* — 754 = *cdRZ* ; F. faire nest p. v. *P* —

757 = *Z* ; Len me force maiz b. men est *Q* — 758 = *R* ;
nest pas *CQU'Z* — 760 = *RZ* ; + ceo dit la vielle si chia
countre le vent *Resp.* — 761 = *K* ; Fors ch. est de *P. Cf. 814*
— 762 *cf. 881* — 765 = *RZ* ; et plus est f. *c* ; qui rel. *CaU'.*
Cf. 1780 — 767 = *RU'* ; et fol d. *Z,* et d. part *L* ; F. d. a
diex d. *Ba* — 769 *cf. 800* — 771 *cf. 2424* — 772 F. est qui g•
(Mains homs j.) a ses p. ce quil t. a (*Z* en) ses mains *RZ* (*VFα*).
Cf. Diz et prov., XI, *et le n*º *1343* — 773 qui quiert m. p.
VFγ = *PRZ*, qui m. p. quiert *VA* = *K'* ; que pain de fr. *K'*
— 774 sil ne *Z* — 776 = *U'* ; Il est bien f. qui aprendre ne
veult *Q* — 777 Nest hon (dome) *V*(*AFβ*) ; qui c. ne croit
a v. *Cf. 1872* — 778 = *Z* — 780 = *CFGRU'Z⁻*; Il est foul *Q*
— 781 = *C* ; entreamer *Ca* — 782 ne puet ; F. ne f. *Ca,*
F. a f. *Ba* ; pees avoir *Ca* — 784 *Cp.* On fait souvent dun
dyable deux *S* — 788 = *CG* ; F. ne croit *bRZ* ; jusque il
pr. *E,* juçqu'a (iuçques a) tant qu'il reçoit *RZ* ; F. ne quelt
dev. qil rayt (*l.* raeint ?) *Ca* — 789 = *NPU'* — 790 = *b t*
CGU' ; si non sens *Z,* si bien non *CaLR,* si non·bien *Q*
— 792 Quant fous ne f. *P* ; pert moult sa s. *Q* — 793 F. se
targe e le t. a. *Ca* ; Tant cumme fol dort t. a. *L. Cf. 1773,*
2325 — 795 = *CRU'Z* ; et *manque Ba* — 798 F. vont a
vespres et s. a matines *Ca* — 800 *cf. 769.*

801 Se vuelz donner g. a qui *S* — 802 *cf. 2123* — 803 = *H* ;
G. ne oyent e[n] augst *Ca* ; En aoust sont g. s. *RZ* (*Fec.*
Ratis, 453) — 809 Gl. a tout ou il p. t. *Q. Cp. 2165* —
810 = *CU'Z* ; a p. est c. *Ca* ; est a pain c. *R* ; tiree *Ba* —
811 *cf. 425* — 814 ou faire lest. (le couuient) *RZ* ; Il y a
gr. ch. a (en) f. lest. *Q. Cf. 761, 1752* — 815 = *Z* — 816 = *C*
RZ ; m. nice *Bret.* ; a mains homes troubleiz *U'. Cf. 2425*
— 819 f. a sa m. qui ne resemble *d* — 820 = *U'* ; Gr. besoing
RZ ; qui de soi (foi) le f. *b,* qui de sa meisnie (*l.* sei meisme)
le f. *Ca* — 821 = *RZ* — 822 *cf. 95* — 823 Il doit avoir gr.
p. qui v. le feu en la m. de son v. *Q. Cf. 2190* — 826 ne v.
point en petit deure *Z* — 827 Haur. II, 283 ; VI, 70 —
830 *cf. 1629* — 832 neif — 833 = *Ca* (*cf. 291*) — 834 *cf.*
1431 s. — 837 = *CaRU'Z* — 838 = *Z* — 839 licher *Ca,*

lechierre *RZ* ; ne sers b. c. *Z* ; cuit *BaCa* — 840 ne vient
s. *RZ* — 842 Hais *E*, Haz *F* (*cf. Zt. f. rom. Phil.*, XXXI,
496) ; recule *d* ; Hay (Haiz) av. et trop (trout) arriere *RZ* ;
c p. Hallon, arriere ! *Q* (*cf. Romania*, L, 504) — 843 ne p. nus
hom d. *P* ; On ne peut h. nu d. *RZ* ; .XL. bien vestu(s) ne
despoilleroient un nu *VFα* — 844 a beure *Ba*, en beyvre *Ca* ;
nest *CRZ*, ne sera ja *Ba*, ne fist (*l.* fut) *Ca* ; mal poie *R*,
couchiez *C* — 845 = *CRU'Z. Cf. 265, 1926* — 846 = *B* ;
Mors hons *G* ; na(d) poynt d(e) a. *CaG*, na nus amis *U'* :
Mort na (na nul) ami *RZ* (*Ba*). *Cf. 1136, 2129* — 847 *cp.*
Vilain affamé est d. e. *RZ* (*cf. 2485*) — 848 *cf. 490* —
849 Honte luy vienne qui *Q*.

851 = *CaQ* — 855 *ailleurs* : Il a grant m. — 856 m. lime
(*l.* lune) *U* — 859 *cf. 2034* — 866 Il est t. de se taire et t.
de p. *Q* — 867 *Cf. Romania*, L, 504 — 868 Trop est a. *Ca* ; a
quic*BaU'* — 872 juner dont hom est a s. s. *Ca* (*cf. 313*) —
874 pres farine *Q* — 875 = *PRZ. Cf. 1465* — 876 *cf. 2269* —
877 *Cf. Romania*, L, 504 — 879 *cf. 1387* — 880 Il fet mauves *b* ;
espines *b* ; Mal fait l. le m. sur les romses *S* (*N, en latin*).
Cf. 1308 — 881 *cf. 762* — 882 *cf. 2058* — 884 *Cp.* Len ne
peut faire bon edefice sur mauvais f. *Q* (*Fec. Ratis*, 765)
— 885 tancier a *U* — 886 folloie *Z* — 887 Fehse, 26 —
889 G. de Coinci, éd. Poquet, 724, v. 788 — 890 = *Z* —
891 = *CaR* ; qui diaee (deaue) *CZ* — 894 *Cp.* Haur. VI, 69
— 895 Il ny a. (*aill.* naura) — 897 qui li p. cl. a col *Ba*,
pendre sonnete au c. *C. Cf. 21, 912, 1084* — 899 des choses ;
Il ne f. pas ce quil v. *Z* ; des ch. de sa f. *Z*.

902 Il ne p. mie (pas) *RZ* ; luy d. *Z* ; Il ne p. pas sa anjou (*l.*
amon[e]) qi a sa femme la d. *Ca* (*cf. Romania*, L, 504) — 905
du sac f. ce qu'il y a *R* — 907 = *U'. Cf. 1850, 2182* — 908 qui
va *CRU'* ; qui a bon h. va *Z* — 909 *CU'Z* ; qui nait hom (?)
R. Cf. 1421 — 911 *Var. de 1385* (*cp. R* 55) — 912 Il nest
pas m. *U. Cf. 897* — 913 se tient *Z* — 914 = *Z* — 917 perdu
— 918 = *RZ* — 919 *Cp.* Il nest pas m. qui tousiours gaigne *Z*
— 920 *cf. 354* — 921 *Cp. Pamph. et Gal.*, 205, Morawski
(*note*) — 924 *Cp.* G. de Provins, *Bible*, 1122, Orr — 928 = *RZ*

— 930 *Cp.* Nul n'est en qui n'ait que redire *S* — 931 *Cp.*
Fehse, 231, *et le n° 935* — 932 *Cp.* Haur. II, 281 (Il n'est
feste) — 934 chairetier *Z* — 935 *cf. 931* — 936 *cf. 975* —
939 *Cp.* La pire morsure (pointure) qui soit si est de (dung)
povre poeil (poil) *Q. Cf. 515* — 940 si malvais s. que cil *RZ*
— 941 *cf. 720* — 942 = *C* ; Il nest sage *Ba* ; qui a. f. ne folie
U', qui ne foloie a. f. *Z* ; qui ne folaye (folie) *QR*, qui a la
fiez nest fol *Ca. Cf. 936, 975, 1383* — 944 = *R* ; de tout *C* ;
au deable *Q* ; Il ne vaut (*l.* vait ?) du tut assentir *Ca* ; qui
a d. v. *Ca*, qui de demye v. ret. *Z. Cf. 312* — 945 *ailleurs* :
come le sien — 946 plaidoie *Z* ; Il pledaye bel et bien *Q*
— 947 *ailleurs* : Il a pou de pouoir — 948 *cf. 1320.*

951 *cf. 95* — 953 *Miserere*, CCXVIII 11, Van Hamel —
954 *ailleurs* : estre foyreux — 957 *cp. 1737* — 959 = *Z.*
Cf. 957 — 960 = *Z* (Fehse, 225) — 961 Iries *VA* — 962 *cf.*
1078 — 963 Haur. II, 97 ; VI, 69 — 965 Ja de busart ne
fera on *V(AFγFβ)*, ne frez bon pernant e. *VD* ; Ja de
bruhier ne fera on bon e. *P* ; Ja de ni de busart n'istra
e. *K'. Cf. 96, 1514* — 966 *Var. de 965* — 967 = *P. Cp. Vers*
de le mort, XC 4, Wahlund, *et les n°ˢ 610, 614* — 969 mamor
— 970 = *Z* — 971 = *CaU'* ; Il nara ja *BaQRZ* ; bon fol *Q*,
bon varlet *RZ* — 972 = *Z* — 973 = *R* ; sil (se il) *BaU'* ;
sil nest. nul escoute *Z* ; Ja ne seroient m. se nestoient esc. *C*
— 975 *cf. 936* — 976 *cf. 1416* — 977 = *P* ; Ja (Ja mais)
ne v. si mauvais (mal) l. *V(FᴀA). Cf. 1410, 1526* — 978 *cf. 666*
— 979 = *Z. Cf. 1140* — 980 = *RU'Z* ; T. namera ja p. *CQ*
— 981 *Cp. Diz et prov.*, App. II, n° XII, n. — 982 *Cp. Renart*,
XVI, 1178 — 983 = *cU'* ; se la pance *BaQ* — 985 *cf. 450*
— 986 *cf. 1445* — 988 G. en dommaigement (*cf. Roma-*
nia, L) — 990 J. nesp. ami *Ca,* na point damy *Q.*
Cf. 607 — 991 dung v. ch. *Z* ; *cp.* Il n'est habay que de
v. ch. *S* — 992 = *Z* ; am. bien *R* ; *cp.* Ja pour faire bonne
chere son (*l.* ton ?) houstel ne sera pire. *Cf. 220, 272, 2210*
— 993 La biautez *b* ; qui a soi m. *Ba. Cp. Yder*, 5477,
Gelzer (cheval) — 995 *Cf. Romania*, L, 505 — 997 *Fec.*
Ratis, 6 — 1000 chasse *RZ* (*Renart*, XVI, 59).

1002 = Z — 1003 = $ctvPQR$; Force IK, La faulx Z
— 1004 Morte est la g. Q — 1007 f. le jeu RZ — 1008 Cp.
J. Lefevre, *Lament.*, III, 453-6, Van Hamel (*note*) — 1009 Cf.
Romania, L, 505 — 1010 quanque la r. T — 1011 Cp. La m.
(Mort) nesp. foible ne fort (petit ne grant) QS — 1012 Cf. *Ro-*
mania, L, 505 — 1014 Cp. Yzopet, 2009, Foerster (*note*) — 1016
et si troncele gr. T — 1017 *cf. 2478* — 1019 = C ; il pluit
(pleut) $CaQRZ$; Ou d. v. se pl. *P. Cf. 657* — 1020 Cf. Haur.
II, 99, *et le n° 1568* — 1022 *Cf. Eneas*, 9886, *et le n° 1150*
— 1023 *Cf.* Haur. II, 99 ; Barbazan-Méon, II, 189, v. 152
— 1025 a vendre Z — 1027 lieux ; dieu y a ouure (Huon
le Roi, *Descr. des rel.*, 144, Lângfors) — 1030 Li — 1031 de
la charrette $CaQT$, du chariot Z, *manque S* ; brait touz jourz
$bCLPRTU'VH$, pigne t. j. Q, crie t. j. Z, fait greigner
noyse Ca, tousjours grigne S, se fait t. j. oyr VA (*var. de*
23) — 1032 La p. soit tous jours au h. Q. *Cf. 2416* — 1033 Cp.
Fec. Ratis, 619 — 1034 = Z ; La breux R — 1035 La s.
est abaie qi nad Ca ; La s. est tote (tost) prise qui na $L(RZ)$.
Cf. 449 — 1037 = $tBaCGLPRZ$; La seurchergè $BCaQ$;
greve l. Q — 1038 *cf. Romania*, XLVIII, 495, n. 3 — 1039 =
N ; La est langue (la l.) t ; Ou le den[t] d. la l. va S — 1040
Peigne ch. leve ch. K ; t. est ch. ch. (t. ch. que ch.) KK'. *Fec.*
Ratis, 95 — 1041 Lecherie CaU' ; de granz ceuz Ba ; ressort
U' ; et de povre ressource Ba, e de p. au dereyn (?) Ca
— 1042 ne s. mye Z — 1044 meniut on prumier G, est le
premier mengé RZ — 1045 = AU ; lier $LRTZVA$; en (a)
son doyt (doy) R (*TZ*) — 1047 *cf. 39* — 1048 = U' ; Larron
$BaCaR$; ja namera Ba, ne amera qui lui reynt (*l.* raeint)
de f. Ca ; qui des f. le r. R. *Cf. Pamph. et Gal.*, 2366, Morawski,
et les n°s 1088, 1352 — 1049 La honte (*l.* bonté) qui vient
tout dune p. nest rien Q.

1051 *Cf. Romania*, L, 507, *et le n° 1429* — 1052 *Cf.* Haur. II,
284 (Les v. v. doit len tenir), *et le n° 1237* — 1053 Labit ne
f. pas (mie) le moyne $QRZ(S)$ — 1054 *cf. 215s.* — 1058 = Z
(Fehse, 96) — 1059 = $CaRZ$ — 1060 Li b. s. venquent K'
(*var. de 1057* ; *cp. aussi 2193*) — 1062 *Fec. Ratis*, 265 —

1063 barbes *VA* ; quel b. *A*, quelle b. *RZ* ; Chaz quenois
b. cui *BCaU'*, Ch. quoit (*corr. en* quiert) b. quel *Ba*. *Cf. 264*
— 1065 de soef d. si va *VA* ; va el b. *VF*β. *Cp. Fec. Ratis*,
91 — 1066 *lis.* L'escovillon moque (*cf. Romania*, L, 506) —
1068 = *RU'* ; Le coy (*sic*) *Z* ; Li mavaise fame p. lo l. *N*
— 1071 = *bRZ* ; *Ren. Contref.*, 37685 — 1072 = *Q* (*cf. 189*)
— 1073 Les derrains venus sont les m. aimés *RZ* — 1077 *cp*.
302 — 1078 *cf. 962* — 1079 Lox ; Il est lieu de f. et l. den-
chanter (*sic*) *Q* — 1080 Les faiz *T* ; *cp*. Les f. se monstreront
et les ditz se passeront *Q* — 1081 = *CaRU'Z* ; Li fait jugent
l. *Bret.* — 1082 *cf. 1496* — 1083 *Cp*. Le four appelle le moulin
brulé *R*. *Cf. Romania*, L, 505, *et le n° 1066* — 1084 *cf. 897* —
1086 = *RZ* ; le lay (lé) du p. *Q* — 1087 *Cp*. Qui de leger
donne pardon De plus pecher donne acheson *Q* — 1088 lares.
Cf. 1048 — 1089 et y laissa *Z*. *Cp. 1869* — 1090 = *K'* ;
nest mie si gr. con len lescrie *VD* ; *cp*. On crie tousjours le
leu plus grant qu'il n'est *RZ* — 1091 *cf. 1106* — 1094 *Cp*. Les
bons rendeurs font bons presteurs *S* — 1097 Li miez fait
par c'on le l. *P* — 1098 Les mors avec les m., les v. o la
toustee *Q* — 1099 sant tout jours *N* (*cf. 2417*).

1101 *cf. 1770* — 1106 *Cf.* Fehse, 204, et *le n° 1091* —
1107 Le peil — 1108 *Cp*. G. li Muisis, I, 123 ; II, 114 —
1109 *cf. 450* — 1110 Boyre et boyre oste la soif *Q* — 1114 *cp*.
552 — 1116 La ou il n'a (n'y a) que pr. le roy i pert son dr.
RZ. *Cf. 1522* — 1119 *cf. 980* — 1121 = *EFQ* ; et rien nai f. *D* ;
+ et li tens revient et je ne feis rien(s) *G* (*cf. Bibl. Ec. des
chartes*, LXV, 114 ; *Not. et extr.*, XXXIX, II, 522) — 1122 Le
tourtel (*cf.* Le Roux de Lincy, II, 218 : La tourte) — 1123 *ailleurs* : peteux (*cf. 1083*) — 1125 L'un trunçon *LQ*, Ung
quartier *RZ* (*cf. Romania*, L, 505) — 1128 *cf. 615* — 1133 *Cf.
Diz et prov.*, CIV — 1134 *cf. 1919* — 1135 *cf. 2418* — 1136
cf. 846 — 1137 *Cf. Diz et prov.*, CCXXXV, *note* — 1139
= *K'*. *Cf. 68* — 1140 L. demeure *R* ; f. changier ami
PRZ. *Cp. 979* — 1141 *cp. 1562* — 1142 *cf. 1556* — 1143
*Ce prov. doit être complété d'après le n° 92 qu'il suit dans
T* — 1144 = *GU'* ; + cest bien reson *VH* — 1146 = *DF*

QS ; Une GRZ ; + et colee sa per EG. Cf. *298 s.* — 1149 nest preuz de faus denier (*la corr. est de Tobler* ; *cf. 273*) — 1150 oil u dolt K (*cf. Fec. Ratis*, 12 s. ; *Eneas*, 9885, *et les n°s 1022, 1020*).

1152 G. de Coinci, 691, 107. Cf. *658* — 1153 Cf. *Romania*, XLVIII, p. 524, n. 4 — 1154 = U' ; M. h. oinst la v. dont il meismes est b. Ca ; Len aucune fois quert (*l.* queut) la v. dont len est b. Ba (*cf. 2335*) — 1157 = Z ; a souvent p. S — 1158 = tIK ; qui tousjours p. R. *Fec. Ratis*, 103 — 1159 = NRZ ; trop l. S ; l. pl. et gronce P — 1160 *Fec. Ratis*, 211 — 1162 = JK' ; sorlouer LU, soef loer T. Cf. *308* — 1163 Mauvaise Q — 1164 = N ; Mauvaise h. $Q\acute{Z}$; meus crest Ca ; croist assez $VF\alpha$, tout tans VA, moult Q, volentiers RZ, plus tot que la bonne P — 1166 qi autri t. Ca — 1167 = Z. Cf. *623* — 1168 cf. *1211* — 1169 Dolent celui qui R ; *cp.* Il naura ja bonne part de ses noces qui ny est Q — 1170 cf. *1790* — 1171 Il fait mal t. a v. P — 1173 Cp. Malediction (Maudiçon) de vielle truye ne passera le garet (ne passe raye de jaret) RZ — 1174 M. nuirre K', norrist $V(F\alpha F\beta)$ = $tAPRZ$; qui nen savoure Z. Cf. *1358, 2033* — 1176 Mauvais $VF\alpha$; a son s. $VF\alpha$ = $K'P$, a gueule VA. Cf. *2058* — 1177 = Z (*corr. de 1176 ?*) — 1178 = Ca ; Male proiere fait A, Mal (h)ore (M. oure pour autrui) $K'VD(VF\beta)$, De male heure naist $VF\alpha$, Por nient prie VH ; qui soi o. $BaK'V(F\alpha F\beta)$ — 1179 = $PU'VH$; Malement $CaKLVD$; Mal est coverz $V(F\alpha AF\gamma F\beta)$; ki KK', a qui $CaLSVD$; le dos Ca ; Mal se muce (Pour neant se cute) a qui $RZ(Q)$ — 1180 = G ; se guete EF — 1181 = $EFRZ$; Mar G — 1183 M. est ch. qui t. est ars DEG ; M. se chaufe qui t. se art F. Cf. *2372* — 1184 santé RZ — 1185 Mauuaisement v. VA ; M. v. sun dol ki l'aoitte K. Cf. *2351* — 1187 cf. *1195,* *268* — 1188 Mal RZ ; qui na dont r. U' ; ne veut r. Ba — 1189 Mal U' — 1190 M. d. vault moult Z — 1191 = bK' ; Mal $FLQRZ$ — 1192 Mau Ca ; qui se (*l.* ne) U' ; Mal (Mar) vit $BaRZ(G)$; Mal (Mar) nest CP ; qui n'amende PRZ — 1193 A doleur vit G (*var. de 591*) — 1194 Mau — 1195 cf.

1187 — 1196 *Jus de S. Nicholai*, 314 — 1197 *cf. 182* —
1199 Lever matin *RZ* ; + maiz desiuner est le plus seur *Z*.
Cf. *182* — 1200 = *L. Cp. 1198.*

1201 *cf. 520, 2459* — 1204 = *CU'Z* ; Mal ch. *R* ; qe
mordre *Ca* — 1207 = *CU'* ; Male *L*, La mauvaise *RZ*.
Cf. *82* — 1208 = *K'R* (*cf. Romania*, XXV, 507, v. 382) —
1209 Li fruiz est m. *bCaNU'* ; qi ne se m. *CaU'*, qui ne puet
mourer *N* — 1210 M. pouture *P. Cf. 1168* — 1212 *cf. 1590*
— 1213 M. est hom a t. (*cf. Romania*, XXII, 175) — 1215 =
bd RZ — 1216 quamquen li f. *C* ; M. quanquil f. il p. *U'* —
1217 = *K'* ; ne sont pas *VFγ Resp.* ; M. ne lances ne puteins
puceles *K. Cf. 2430* — 1218 = *Z* ; et decoles *BaVD* ; morrunt
Ca ; *sing. R* — 1220 = *Q* ; Mounes *Ca*, Petites *RZ* ; Pars
et parceles *P* ; sont ens. b. *RZ* (*cf. Romania*, XLVIII, 555, n.
2) — 1221 *Cf. Romania*, L, 508 — 1222 rasoyer — 1223 = *Ca
RU'Z* — 1225 = *t* ; dounez *H* ; Filles et m. d. et pr. sont
ammees *P. Cf. 594, 1584* — 1227 = *CaU'* ; ne doit ouir *R*;
ne d. ne mal oïr (perir) ne mal a. *BaZ(Q)*. Cp. *Thebes*, 1587 ;
Ebert, nᵒ 111 — 1228 qui ne appert *Z* — 1229 = *L* (+ *1290*) ;
M. moult d. *VFα* ; Chose ou a m. plus longuement d. *VH*.
Cf. *1730* — 1230 M. f. pour saie (*l.* soi) *U* ; il (et il) pensera
tQ ; M. f. a par s. il pense (pensera) de s. *RZ* — 1231 = *Z*
— 1233 bien *Ba*, troyle (*l.* troille) *Ca* ; que roses *BaRU'Z*
— 1234 *cf. 1652* — 1236 = *Ba* ; M. vault soy t. *RZ*, M.
avent t. *Ca* ; que mal dire *B* ; Il v. m. se t. que follement
parler *Q* (*cf. 1254*) — 1237 les viez v. *BaU'* ; que les noves
Ca ; cp. M. vault la vielle voye que la nouvelle sente *RZ*
(*cf. 1052*) — 1238 = *Ca* ; M. vient a eur n. *K'* ; Il v. m.
en *Q* ; M. vault aeouré n. *Resp.* ; des bons *Q Resp.* Cp. *1263*
— 1239 = *Z. Cf. 2218* — 1241 = *BCDFGHVFα* ; par vei *Ca* ;
denier *BaEKLPQRU'Z* ; a couroye *Ba* — 1242 = *KQRZ*
— 1243 Haur. II, 97 ; VI, 72 — 1244 = *K* ; M. v. un bon a.
que malveis a h. *I* (*cf. 1248*) — 1245 = *v* ; bons fuirs *P* —
1248 bien at. *BaRZ* ; que f. chacier *Ba*, eschanger (*sic*) *R*,
commencer *Z. Cf. 1244* — 1250 = *LQZ* ; bien escondit *R* ;
esconduis *Ba* ; que m. otrois *BaCa*.

1251 gardeur-gangneur *cRZ* (*cf. 1298*) — 1253 = *Z* —
1254 bons taisirs *VA* = *P* ; ke trop p. *VD*, mavais p. *P*.
Cf. 1236 — 1255 = *Z* — 1256 *Cp*. Les courtes folies sont
les meilleures *RZ* — 1257 = *Z* (*Yvain*, 31) — 1258 M. v.
ung c. seoir que ung l. e. *Q* — 1263 = *Z*. *Cp. 1238* — 1264 *l*. qe
nu e clos ? — 1265 = *P* ; onuree-ventree *K*. *Cf*. Robert de
Ho, *Enseign.*, 2466, Young — 1266 *Cf. Romania*, L, 508 —
1267 *Var. de 2104* — 1268 *Var. de 1270* — 1269 *Cf. Pamph.
et Gal.*, 505, Morawski — 1270 = *QRZV*(*FɔD*) ; M. v.
petis m. que ne fait e. *P* ; Mieldres est m. que chiens ne e.
VFβ. *Cf. 1268* — 1271 que vostres *VFɑ* — 1273 = *KVD*.
Cf. 1328 — 1275 = *IK* ; ki n. *VD*, que ne fait n. *t* — 1276 M.
v. p. en main *CaU'*, en huche *CRZ* ; que escue *Ca*, escrip *R*
(*cf. la note de l'éd.*) ; a paroi *CU'*, *manque Ca* — 1277 M. v.
unce de p. que bacun de a. *K* (*cf. 640*) — 1278 = *RZ* ;
pleine poigne de vie *Ca* ; que plainne mine (*sic*) *C*, livre
pleyn de cl. *Ca* — 1280 = *K* ; *cf. 1297* — 1281 = *K'* ;
de pres *K* ; joichier *H*, nonchiere *T*, uingiere (*l.* iun-) *VD*,
cheri[ere ?] *Ca* ; que pres *H*, de luin *K* ; que ne fait loing
(long) *t*, que lonteyn pr. *Ca* ; que loinz praere *VFβ*, ki
lointaingne priere (*l*. preiere) *VD*. *Cp. Fec. Ratis*, 183 —
1282 M. v. pr. amy (un bon voisin) que l. parent (loing
parente) *RZ*(*Q*). *Cf. 288* — 1284 ki soz perier (*la corr. est
de Tobler*) — 1285 *cf. 2227* — 1286 acheter-emprunter *Z*.
Cp. Baud. de Sebourc, IV, 666 — 1287 = *cU'* ; M. v. engins
BaHRZ ; Engins v. m. que f. *PN* (*en latin*) — 1288 aler (*cf.
Romania*, L, 508) — 1290 = *vGP* ; tirer que r. *L* ; Il v. m.
tirer (ploier) que r. *RZ*. *Cf. 212* — 1294 = *K'* — 1295 = *Z*.
Cp. Fehse, 200 — 1297 = *L* ; que ues (oef) m. *tvBaQ* ; M. v.
os d. que os m. *Z*. *Cf. 1280* — 1298 *cf. 1251* — 1299 *Corr.
de 1257 ?* — 1300 = *adIK'PRUVHZ* ; M. ain *VFɑ* ; que
d. tu auras *KLQT*.

1301 M. v. vielle debte que n. malon *Q*. *Cf. 2483* —
1302 *cf. 2473* s. — 1303 rençon *K'*. *Cf. 525* — 1304 *l*. si ne
v. si jëune ? — 1305 = *QRZ* — 1306 *Var. de 2037* —
1307 = *Z* — 1308 Trop a. miel (le m.) *RZ*. *Cf. 880* —

1309 *cf. 2189* — 1310 Trop e. a qui at. *QRZ* ; Beaucoup
(Trop il) e. qui a. *S* — 1311 Il est f. — qui de son h. sesmeut
Q — 1312 *l.* sauz ; *cp. la loc.* Il lessa s. M. si s'est pris as sauz *A*
(*cf.* Helinant, *Vers de la mort*, XII 8, *note*) — 1313 Bien est
l. (larron) *t* ; Il est bien l. (larron) *VFαQ* — 1314 Loing est
de R. qui a Pavie lasse *P* — 1315 = *HU'E* (*en latin*) ; Tant
est p. *Q* ; qui ne vayt (*l.* voyt) *Ca* ; Il est bien p. qui ne v.
goute *RZ* — 1317 Cf. *Romania*, L, 508 — 1318 *l.* gr. chaure *?*
— 1320 = *BC* (*cf. 948*) *K'LSU'V*(*FαA*)*G* (*en latin*) ; M. demeure *Ba*, Il d. moult *t* ; Il remaint assez *HP* ; li fol *VD ?*
De ce que f. p. souvent remaint *RZ* — 1321 Tant v. qui v.
et verra qui vivra *Q* — 1322 Muie *VD* = *L* ; Mui de ble
VFγ = *RZ*, de vin *G* (*en latin*) ; gaie (alas dolent) qui ne
la *LVD*, guay c. qui denier na *K'*, dolent ne l'a *RZ*. Cf. *307*
— 1324 Nate que nate villain que villain (N. que n. villain)
RZ (*cf. 2484*) — 1325 Ne a-ne a *K'* ; Na fol b. *C* ; Ne al
chien b. ne a f. t. *Resp.* ; Na foul paller na foul (faur, *corr. en*
fien) baer *TU.* Cp. *Tristan*, Michel, I, 224 — 1326 = *Z.*
Cp. Brun. Latini, *Tresor*, p. 236 ; Fehse, 23 (le cerf), *et le*
n° 1597) — 1327 = *Ca* — 1328 = *CaGU'* ; + et norriture
sorvaint nature *P.* Cf. *1273, 1399* — 1329 N. a r. *B* —
1330 *cf. 1335* — 1335 *cf. 1330* — 1337 Celli (Il) ne choisist
pas qui glane (emprunte) *S*(*RZ*) — 1338 Ne f. dou t. qui
el ch. fiert (*l.* siet) *VA* — 1340 = *U* ; berton *T* ; + ne prodomme de limosin (*cf. Romania*, XLVIII, 525, n. 5) — 1342
N. de Biart, *Dict. paup.* (*De justicia*) — 1343 *cf. 772* —
1344 *Fec. Ratis*, 18 — 1345 Ne m. veel *L* (*cf.* G. de Coinci,
432, 145) — 1348 *cf. 606, 1663* — 1349 *cf. 2018* — 1350 *cf.*
1910.

1352 *cf. 1048* — 1354 coment il est *VA.* Cf. *2209* —
1355 = *K'* ; Li s. (Saoul) ne set *ABa* ; quil est *VFα*, cum
esteit *VD*, coment (com) il est *AB*(*Ba*) ; c. est au mue (*l.* iune)
Ca ; comme (que) est au fameilleus *V*(*FγFβ*) — 1358 = *U'* ;
que vent *B.* Cf. *1174* — 1359 = *Ca* ; V. ne set *BaPRZ* —
1360 que rent m. *BaKK'L* ; + fors que il (qi) lou pert *BCa*,
ne cil que la desques le perd *L* — 1361 cil qui *V*(*AH*) ;

ki sour ch. m. *VD*, qui montent sor ch. *K'* ; qui a ch. uont
VH — 1362 = *K'*. Cf. *1369* — 1363 Net pas domme *P* ;
Nest (Il nest) pas homme *RZ*(*Q*) — 1364 cf. *1405* — 1365 Il
nest mois *RZ*. Cf. *1390* — 1367 Petit (Pou) est seurs de sa
maison qui la son v. v. a. *V*(*FαA*). Cf. *2190* — 1368 cf. *2091*
— 1369 Nest bon compaignoun *Ca* ; qui viaut retenir t. *Ba* ;
Nest pas droiz c. qui t. v. avoir *Bret.* Cf. *1362* — 1370 Ce
nest ; mes de longuement g. *d* ; + en labor *D*, en la bowe *G*
— 1371 = *U* ; quanqui *CZ* ; Il (Ce) nest pas *HP*(*RSZ*) ;
Nest mie *v* ; tout or *vBaG* ; qu. (ke) l. *v*, qu. reluist *BCaRSU'*,
ce qui reluit *G* ; Tout nest pas or qu. reluist *T* ; T. ce que luyst
nest pas or *Q* — 1372 = *Z* ; Il nest *P* — 1373 vienge *T* ; que
l. en genestay *t* ; Ce nest (n. pas) chose (viande) pr. le (que)
l. en geneste *Ca*(*Q*). Cf. *1718* — 1374 que m. *BaCa* ; qui
maintient grant folie *Bret.* — 1376 Il nest s. *Q* — 1379 Nus
nest si ch. *P*, Nule si chaude *K'* ; qui ne refroide *K'PVFγ*,
ki il ne r. *VD* — 1380 *Cp*. Il n'est f. qu'ausi f. ne soit *S* —
1381 = *CU'* ; chet *Ca* — 1382 Nest si m. chose *Z*. Cf. *1384 s*.
— 1383 cf. *942* — 1385 = *K'* ; Nest tost mas *VA*. Cf. *911*,
1382 — 1387 = *CaU'* ; le chat *Ba*. Cf. *879* — 1388 Haur.
VI, 68 — 1389 *Thebes*, 7491 — 1390 Por ço ne v. may quil
ne r. *K'* (*cf. 1365*) — 1391 Ja ne v. d. si *RZ*, Il ne v. ja d.
qui *Q* — 1392 cf. *490* — 1393 cf. *587* — 1396 cf. *266* —
1397 = *PRZ* ; N. chauce *C* ; Chate noire a soif poil *Q* —
1398 = *bCaPVA* ; blanz oes (oeufz) *VFα*(*RZ*), eues *U'* —
1399 N. p. aage *Q* (*sur R, voir la note de l'éd.*). Cf. *1328*.

1401 *Cp*. Muement de c. est appetit de v. *Q* — 1402 *Var.
de 2483* — 1405 Haur. VI, 69. Cf. *745, 1364, 1566* —
1407 prendre *Ca* ; fait (faiz) entreprendre *RZ*, entrepenre
faix *U'* ; bien porter *Z* — 1408 c. cil (que celui) a qui *RZ*.
Cp. Prov. au vil., 47, 1-3 — 1409 que aultruy *Z* ; *cp*. Ce que
l'un pert l'autre rechoit *S* — 1410 = d. Cf. *977* —
1411 = *PRTZ* ; que luel *U*. Cf. *355* — 1416 = *CU'* ; quant
cil *Ba*, comme (que) celuy *RZ* ; qi nad dener *Ca*. Cf. *976*
— 1417 = *bCRU'Z* ; qil nad m. des amis *Ca* — 1418 = *Ba* ;
Il nest nul v. *Q* ; dou cuer *cBDFGPQRU'Z* ; ne li vient

cDFGQRZ ; se de c. non *E* — 1419 et nul ne veult v. d. *T*
(+ ne nature ne puet souffrir longuement vivre sanz viellir
= *Diz et prov.*, LXVII). *Cf. 2493* — 1421 est *Ba. Cf. 909*
— 1422 N. iour nest *Z* — 1424 Neunz *N* ; N. sourfait *Q*
(*cf. 2274*) — 1425 = *RU'* ; ne pou asses *Z*, ne nul poi nest
(est) a. *AQ(Ca). Cf. 670* — 1427 Acheson — 1428 Achoison
RZ ; Il treuve assez ach. *Ba* — 1431 O. le cul a vil. et il
vous ch. ou poing *Q* ; O. vil. il vous poindra, poingnés
vil. il vous oindra *RZ. Cf. 725, 834* — 1432 *ailleurs* : Oin
le v. — 1433 = *Q* ; Oy d. *Ca* ; va par vile *BaCRU'Z*, court
par la v. *S* — 1434 Gentil oysel *Ca* ; par soi meisme(s) *c*,
par li m. *EFG*, de luy m. *RZ.* Cp. G. li Muisis II, 118 —
1435 = *CaU'Z* ; sans ailles *R* ; Len ne p. v. *Q* — 1436 *Cf.
Romania*, L, 509 — 1437 fait (faite) folie que savoir *d* —
1439 = *Z* (Fehse, 14) — 1440 = *Z* (*cf. Rose*, 8451, Langlois)
— 1441 Unqe (Unques) *CaU'* ; O. nama qui p. si pou hay
(hait) *RZ* ; Il ne me ama onc qui pour neant me h. *Q. Cp.
1837, 1903* — 1442 = *Z* (*cp. Diz. et prov.*, CVI 1) — 1444 = *Z*
— 1445 Unqes (*cf. 986*) — 1449 tant quil *BaZ*, t. comme il
RU', t. qe soit ch. *Ca*, t. come il est ch. sur lenclume *Q.*
Cp. Batez le fer quant il est ch. *S, et les n°s 645, 1890.*

1451 *cf. 1459* — 1452 = *FG* ; la on g. *D* — 1453 *cf. 636* —
1454 *Cf. Romania*, L, 506 — 1458 *cf. 2026* — 1459 *cf. 1451* —
1461 *Cf. Romania*, L, 506 — 1462 *cf. 1464* — 1463 *Cp. Prov.
au vil.*, 81, 3-4 — 1464 querre *U'* ; en j. *RZ* ; de quoi *U'* ;
en v. *RZ. Cf. 1462, 1768, 2417 (Var.)* — 1465 *cf. 875* —
1466 *cf. 475* — 1468 Len f. en un j. que len ne fait en un
an *T. Cf. 315* — 1469 On fait bien mal por pis a reme-
noir (pour puys abatre) *PZ. Cf. Renart*, XXIII, 1011, *et le
n° 486* — 1472 son sac *PRZ* ; avant (devant) qu. *BRU'*
(*Z*), enke s. pl. *Ca* — 1473 = *EFG* ; cui cr. *D* (A. de Suel,
Chatonet, 228, Ulrich) — 1474 *cf. 189* — 1476 = *Z. Cf. 1519*
— 1477 *ailleurs* : Homme ; *cp.* Riens n'est qui ait point
de d. *S* (G. de Coinci, 352, 273 ; 685, 140) — 1478 = *Z* —
1479 = *U'* — 1481 = *U'N (en latin)* ; la gent *Ca* ; On ne c.
pas les g. aux robes ni le vin aux sercles (le vin au cercle

ne les g. aux dras) $RZ(Q)$ — 1483 On ne d. pas — ne a bon
v. RZ (+ ne de bonne parole qui l'a dicte R) — 1484 d. soy
U — 1485 noyssons. *Cf. 1875* — 1486 *Cp.* Pour ung moine
ne fault couvent RZ — 1489 chate U' ; *cp.* Folie est d'achater
sac (chat) en pouche RZ (*Fec. Ratis*, 346) — 1490 *Cp. la loc.*
A gras p. le dos aoindre A (= Jubinal, *Nouv. Rec.*, I, 382)
— 1493 = RZ. *Cf. 1503* — 1494 = RZ — 1495 Folie est
m. RZ — 1496 *cf. 1082* — 1497 la faulx (*cf. Romania,*
XLVIII, 535, n. 5) — 1498 desrees.

1501 *Cf. Romania*, L, 506 — 1503 *cf. 1493* — 1504 a grand
coup R ; vielles Z — 1505 = $CNRU'Z$ — 1507 les oisiaus P ;
tarterele BaP ; Len ne pr. pas moyssons o escarteliés (*l.* escar-
celles ; *cf. Romania*, L, 507) Q ; On ne pr. mie le lievre au ta-
bour ne l'oysel a la t. RZ — 1509 = Ca ; ne p. pas BR ; corrir
BaZ — 1512 = c ; ne p. pas $RU'Z$; de toz estre a. U' ; *cp.*
Nul nest de tous amé ne de tous haÿ Q — 1514 = RZ ; de
buisson otoir B, de bosart ostour Ca. *Cf. 965* — 1515 Len
ne doit pas Q ; Len ne p. de une f. faire d. g. Ca — 1518 *cf. 905*
— 1519 On ne p. pas G ; auques avoir DE ; p. mentir (*sic*) E.
Cf. 1476 — 1520 Len ne fet pas $bRU'XZ$; Len na pas cr. p.
pour neant C (*Vers de le mort*, XV 11, *Var.*, Wahlund)
— 1522 *ailleurs* : Homme. *Cp. 1116* — 1523 Len ne p.
ensemble s. deus m. de contraires volentes Ba ; Nus ne p.
bien s. a deus signors contraires, *etc.* P — 1524 = U' ;
ens. servir d. et d. C, bien s. a d. et au monde Q ; On ne
p. s. d. et d. S — 1526 de larron (de l. priue) guetier QZ.
Cf. 977 — 1530 *Cf. Pamph. et Gal.*, 1057, Morawski —
1532 *cf. 2472* — 1535 palle ; Lome Ca ; qui U' ; de ce que
$BaCE$, de ce quil Ca, de ce dont len a envie F ; Haur. IV,
152 ; VI, 70 (de ce que) — 1536 = Z — 1537 On ne peut r.
et faire b. b. R (*bonne leçon ? Cf. 1509*) — 1540 Lome p. t.
destr. le crust qe la mye ne vaudra r. (*bonne leçon ? Cf. 2294*)
— 1542 = E. *Cf. 2276* — 1545 quant que len voit T ;
mes (*le reste manque*) L — 1548 *Cp.* Toutes choses peut
on endurer (souffrir) que aise RZ.

1555 aymera Q (*cf. Romania*, XVI, 101 ; XLVIII, 538, n. 2)

— 1556 = *RZ*Bret. *Cf. 1142* — 1558 Or *RZ* — 1560 o la
ch. *Z* — 1561 Or va *Z* — 1562 De hoste e de pl. apres t. j.
e. *I*. *Cf. 1141* — 1563 = *VA* ; Ou chat na *VD*, La ou ch.
na *HQ*, la ou na (ni ad) ch. *LCa*, U (La ou) ch. nen a *KVD*(*K'*),
La ou il na chatte *U'*, Ou chas nest *PS*, Lo (La ou) ch.
nest *Ba*(*RZ*) ; s. revelent *bVD*, reveillent *R*, i revelent *K* ;
s. se revele (reveille) *CaQ*, se revelent (resueillent) *LZ* ;
la s. reuelle *S* ; Hinqui ou ch. nest s. i balont *N* — 1564 = *K'* ;
La ou *VH* ; si fait n. *VFα*, la muet n. *VA* — 1566 U nad
(ni ad) f. ne (ni ad) f. *KJ* ; Ou na f. na f. t. *Cf. 1405* —
1567 Force [u] veint j. prient *K'* ; *cp*. Ou force regne droit
n'a lieu *S*. *Cf. Romania*, L, 509 — 1568 *cf. 1020 s.* — 1569 Ell.
Cf. 2248 — 1571 = *bdCRU'Z* ; Rendre ou p. *Q* — 1573 toail
— 1575 ou envis *BaF*, ou a ennui *B* ; Ou envis ou v. *DEGU'* ;
a senne *Ba*, au mostier *E* ; Bon gré mau gré va *RZ*. *Cf. 2499*
— 1576 Par lains chans na que deus qu. (*le reste manque*)
VFα — 1578 cest uiande *U* ; Bon p. et bon v. cest v. a p. *T*
(Haur. II, 280) — 1584 douleur ; Pour d. et pour prendre
sont *Q*. *Cp*. A. de Suel, *Chatonet*, 311, Ulrich, *et le n° 1225*
— 1587 = *U'* ; Du petit *RZ* ; v. le angrant *Ba* ; Par p. v.
l'om a gr. *Ca* — 1589 *cp. 590* — 1590 *Chanson de J. Erars*
(Le Roux, II, 498). *Cf. 1213, 2388* — 1591 s. tout blef
f. *Z* — 1592 = *P* — 1593 contredit *Ca*, desdite *U'* ; P. puis
que r. la d. ne d. pas e. contredite *Ba* (*Erec*, 61) — 1594 *Cp*.
Bien pou vault la voix qu'on n'escoute *S* — 1597 *cf. 1326*
— 1598 P. p. p. connoist on s'amie *P* (*Dolopathos*, 11082,
Brunet).

1603 toz homs *U*. *Cf. 1378* — 1604 sont un j. (en un j.)
passeez (passes) *Ba* (*RZ*), en un j. sont p. *C* ; Pasque desiree
est en un j. (en un j. est) alee *U'Ca* — 1607 = *K'* ; Anemy
ne d. *RZ* — 1608 = *RZ* — 1609 Ung peil av. a. d. len chauve
Q (*Thebes*, 7925) — 1610 = *G* ; si est s. et sa p. est j. *E*
(Haur. II, 95 ; VI, 71) — 1611 hom ese *Ca*, prouece *L* —
1612 *cf. 1811* — 1614 = *Bret*. ; ad home f. *Ca* — 1615 mengue
R ; P. e p. plume li lous loie *H* (*cf. 106*). *Cp. 483* — 1617 vel
passee *Ba* — 1618 = *Z* — 1619 s. longe[s] pucyn(e) *Ca* ; *cp*.

P. brebiete tous jours s. jeunette *RZ* (*cf. Romania*, XLVIII,
539) — 1620 = *P* ; Petit (Ung p.) de m. *Q* ; c. blanche breie *K*
— 1621 = *c* ; grans gens *U'* — 1622 *Var. de 1623* — 1623 fest
gr. tensouns *VD* (*cf. 544*) — 1624 = *tS* ; Grant v. petite
pl. abat *K'. Cf. 100* — 1625 = *D* ; P. a p. *BEFGQRU'Z*,
Poy e poy *Ca*, Pas apres pas *S* ; vent l. l. *Ca* ; bien loing
bdHRSU'Z. Cf. 224 — 1626 *cf. 537* — 1628 Petit — 1629 *cp.
2163* — 1630 = *bU* ; P. seres (*l.* fes ?) *L* ; couste *T* ; *cp.*
Longue voie paille poise (couste) *RS(Z)* — 1631 *cp. 1220*
— 1632 = *tCaPQRU'Z* ; P. vilain *A* — 1633 *Var. de 103*
— 1634 = *VH* ; P. volanz *VFβ*, volante *VD*, rouelant *K'* ;
ne puet cueillir *VFγ = A* ; P. qui souvent remue (P. souvent
remuee) ne cuillera ja m. *Q* — 1635 = *K'* ; Pis vaut *PZ* ;
Pis v. esguest que encontre *R* (*leçon fautive* ; *cp. Baud. de
Sebourc*, XIX, 1169 ; XXIV, 863) — 1636 Pis est gabeir
a p. *U* (*Pamph. et Gal.*, 1435, Morawski) — 1637 *cf. 2195*
— 1638 P. est los *Q* — 1639 *cf. 315* — 1640 lente *K'RZ*
(Mont.-Rayn., II, 213, v. 486) — 1644 Pl. n'assaveure *R* ;
En trop grant pl. n'a point de s. *P* — 1646 *Réc. d'un mén.
de Reims*, § 417 — 1648 Plus a p. (*P* : Il a plus de p.) en un
sestier de vin que en un mui d'aigue (*VD* : de forment)
PV(AFβD) — 1649 avoir ; *cf. 205* — 1650 = *PQ* ; Plus
d. est h. *Ca* ; que povretez *bRU'Z*, soufraite *vK'*, mesoise *L.
Cf. 578.*

1652 *cf. 1234* — 1653 = *P* ; Plus est *VA* ; que ne sont
d. *V(FβH)* ; Pl. sont c. que a. *K'VD. Cf. Fec. Ratis*, 589,
et le n° 2355 — 1654 = *K'PQResp.L* (*en latin*) — 1656 *Cf.
Romania*, XLVIII, 537, n. 1 — 1657 *cp. 2097* — 1658 = *RU'* ;
Pl. vaut *Ca* ; que fouz a d. *BaCa* — 1644 Desuz *I*, Desouz
b. s. *K'* ; P. grant s. *K* ; receit len gr. c. *K'*, prent hom
grant (pr. on bien maise) c. *IK(P)* — 1666 P. ce mayre quil
y p. *Z* — 1667 que jen die f. *F* — 1668 = *F* ; refaces *E* ; non
pas pour ce que tu me bates *DG* ; Pour ce le (le me) fais
affin que le me f. (que le te face) *RZ* — 1669 *Cp.* On bat le
ch. pour le l. *S* (*Fec. Ratis*, 497 ; *cf. Diz et prov.*, XXX)
— 1671 *cf. 58* — 1672 *Cf. Romania*, L, 510 — 1674 = *QRZ* ;

besa *D* ; le ch. *P* (*Clef d'amours*, 1025, *var.*, Doutrepont ;
Dolopathos, 10431, Brunet) — 1676 *Fec. Ratis*, 9 — 1677 et
qui avenir doit, len doit b. *T* — 1678 P. n. ad il *Ca*, nad *I*,
quert *BaKL*, demande *QRZ* ; En vain quiert c. *P* ; P. n.
a son c. *CU'* ; ki nul ne cr. *IL*, ki cr. nel volt *K*, qui ne le
veult cr. *RZ* — 1679 P. n. ad sa marchaundie *Ca* (*bonne
leçon ? Cf. 919*) — 1680 sargue *ACL* ; qui *AK'*, cil qui *C*,
que *L* ; d. naime *AC* — 1681 *cf. 261* — 1684 *Cf. Romania*, L,
510 — 1685 *cf. 1742* — 1686 *cp. 411* — 1688 met home *Ca*,
viel chien (le v. ch.) *CaC* ; en lieu *B. Cf. 2472* — 1689 = *RZ*.
Cf. 2217 — 1690 = *Z* — 1692 = *Z* — 1693 = *Z* ; au bois *R*
— 1694 Pur rien va a f. qi rien y desploye *Ca* — 1696 Par
V(FʒH) ; P. defaut (defaute) *JU(Resp.)* ; de franc *J* ;
met l'um fol (merde) en banc *IVD(JResp.)*, m. len foul
en chere *t*, asiet on fol (le fol) en chaiere *V(FʒA)*, bric en
banc *VH* ; set fol en renc *L* — 1697 Par ; Por disiete *B*,
defaut *U'* ; Par deff. de (dung) s. homme *RZ* ; m. len musart
(bricon) en h. *BU'*, fol (le fol) en chaere *RZ. Cf. 665* —
1698 *cp. 571* — 1699 sen mouchent d. *RZ*.

1701 = *U'Z* ; recouvrez *bCaRS* — 1702 Par *HP* ; Par
(Pour) un seul p. *bCaRU'Z(Q)* ; Bertaut *BaR*, Berte *CZ*,
Bretoun (*l.* Bertoun) *Ca*, Gibers *HPU'* ; son asne *PRZ* ;
p. G. son eglise *Q* — 1703 *Cf. Romania*, L, 502 — 1704 P. c.
ne boillira (boidra) ja a ayue (eue) *Q* (*sic*) — 1706 = *Z* —
1707 Mal d. a s. vassal *K'*, Pou peut donner a s. escuier *RZ*
(*Fec. Ratis*, 100 ; *Rose*, 11254, Langlois). *Var. de 708 ?* —
1709 *cf. 243* — 1711 = *K'* — 1714 na nulz amis *RZ*, na
point damy *QN* (*en latin*) — 1716 = *Z* — 1717 *Fec. Ratis*,
607 ; Fehse, 185 — 1718 *cf. 1373* — 1721 mal *K'RZV(DH)*
— 1722 = *K* ; Sire prive *VD*, Pr. seigneur *IL* ; f. f. garcun *I*,
damoisel *P* — 1723 = *N* — 1725 = *RZ* ; Preuz doins *B* ;
vient (*l.* vieut) *Ba* — 1726 Promesse *CaU* ; Promesse s.
don *T* ; cest *tBR* ; au fol *CaU*, a folz *Z* ; reconforter *BaRZ*,
confort *Ca. Cf. 230* — 1727 Quant la ch. *PR*, la besoigne *Z*
(*cf. 1744*) — 1730 lis. Quanqu'en. Quant que en f. — pro-
phete et d. et quant que f. *T. Cf. 1229* — 1732 *cf. 438*

— 1733 = *CU'* ; Qu. houneur *G* ; et cuer f. *tBa* ; fait (*l.* falt)
Ca ; Qu. bien v. cueur (le c.) f. *RZ(Q)*. Haur. IV, 62 (= *G*)
— 1734 sire (*l.* seur) bel *R* ; Qu. vient b. s. b. *H* ; beau
pert sa b. *Z*, si p. bel sa saison *P*. Cf. *1761* — 1736 = *L* ;
d. fame *Ba* ; et *manque CaGRZ* ; toust *Z*, coust *Ba* ; le
sak *CaGZ* (Rutebeuf, p. 131, v. 210, Kressner) — 1737 = *Z*.
Cp. *957* — 1738 cf. *2142* — 1739 = *c* ; corroie *U'VFγ* ;
Qu. f. v. cuir il d. courroye *Q*. Cf. *1764, 1880* — 1742
= *tQR* ; Qu. ci (*l.* ie) *Ca* ; ci me feres *Ba* ; si me fera
len *B*, feras *P*, fereiz *U'* ; faictes moy *Z* ; candeles *Ca*.
Cf. *Baud. de Sebourc*, XIV, 1331, *et le n° 1685* — 1744 cf.
1727 — 1745 = *RU'Z* ; si *manque Ca* ; la dame *C* — 1746 les
croiz sen furent a. *F* (Haur. II, 98) — 1747 = *Z* ; est emblez
PQVD, est e. ou perdu *H*, sen est foui *F* ; si ferme *R*, ferme
len *VFβ*, adonc ferme on *HP*, dounke f. fols *VD*. Cf. *151*
— 1748 Qu. len a assez a. *FG* — 1749 Qu. on i a tant m. *E*
(*var. de 1748*).

1752 il esconvient (couuient) quon le f. *RZ*. Cp. *814*
— 1753 Que pl. *EGP* ; li d. *EFGP* ; pl. couvoite *P* ; Plus
(Con plus, Tant plus) a li d. (et) plus couvoite (veut) *v*
(*cf. 2080*) — 1754 Que pl. *EG* ; au fu *D* ; et *manque EF*
— 1756 Que pl. *PVA*, Con pl. *VFα* ; Tant (De tant) pl. g.
et *RZ(S)* ; Quant il g. si e. *Q* — 1757 la merde *BaU'* ; Qu.
plus len (Qui plus) remue la merde *Q(RZ)*, Qui pl. esmuet
lordure *C* ; et plus p. *BaCZ*, sent *R* ; tant elle pl. p. *Q*.
Cf. *410* — 1758 cf. *500* — 1759 Qu. sac a m. p. en langle *Q* ;
si est pochete en langle *K'* (*Fec. Ratis*, 79 ; *Vie du B. Thomas
H. de Biville*, *éd.* Pontaumont, p. 161) — 1760 le menton
— hom *T* — 1761 cf. *1734* — 1762 cp. *250* — 1764 cf. *1739*
— 1765 Quaprent *L* (*le reste manque*) ; Ki pulchin aprent
(*le γ. m.*) *K* ; Ce quapr. *RZ* ; Que prent *BaK'*, Qui pr. *CaVFα*,
Quant pr. *G* ; bearz (baiart) *ctBK'*, chêval *G* ; en amblure
(sambl.) *CaRZ(C)* ; si viaut tenir t. come (que) *B(CT)*,
si (ço) v. t. le jour quil (a jor que) *CaU(K')* ; veut meintenir
FG, si (il) le maintient *U'(RZ)*, il le retient *Ba* ; Quant len
prent (Qui pr.) moreau a lemblee (en lembleure), a toute

sa vie luy dure *Q*. *Cp. 1768 —* 1766 = *U'* ; Ce que *IVF*α,
Qui *VF*β ; Que ne voit iauz (oeil) *HQ*, Quant cuer ne rioit
(*sic*) *C* ; cuer *BaCIK'R*, a (au) cuer *ABLZ(HQ)* ; Que
cuer (*l.* uel) ne v. ne cuer ne d[u]et *N* — 1767 = *IKP* ;
queor ne coveit *J* — 1768 *cf. 1464, 1765* — 1770 Quesque.
(Haur. II, 281). *Cf. 1101* — 1771 Qui *T* ; Se que s. martins
ne m. *P* ; si m. ses pelerins *VF*α, son (le) pelerin *TL* ; mei-
ne(nt) son pel. *U* ; ce font si home *VA* ; Que ne mainne
s. m. si ne mainne son parrain *C* — 1773 li fous *BR*, *manque*
Ca ; li jorz *BCaR* ; Quoy que le f. tarde le *Z. Cp. 793* —
1774 Ce que *PV(F*α*H)* ; Que danz d. *K'* ; Que danz d. et
s. pl. (*le reste manque*) *L* ; Ce que seigneur d. et sergent
pl. *Q* (Mont-Rayn., III, 207, v. 242) — 1775 Qui s. voit *L*.
Cf. Renclus, *Miserere*, CXXXVI 3, Van Hamel —
1777 = *RZ* ; Qui [a] a. bee *P* — 1779 = *K'* ; Qui autel
*PV(F*γ*F*β*H)*, hautel *VD* ; Qui se dautel s. *U* ; dautier
d. v. *T*, de hautel vive *VD* ; Qui a tel s. de tel d. v. *VA* ;
Qui autel (autruy) s. de autel (dautruy) d. v. *Q* — 1780 *cf. 765*
— 1782 *cp. 386* — 1785 = *RZ* ; si ad b. m. *Resp.* ; *cp.* De
bon v. le bon m. *S* — 1786 Qui paist gaignon de pain tost
est m. en la m. *Bret. Cf. 2312, 2365* — 1787 = *Ca* ;
compaing *t*, seigneur *Q* ; il a m. *P* — 1789 = *FVA* ; m.
a heure *VF*α ; Qui a droite eure *GVH* (Haur. VI, 71).
Cf. 2024 — 1790 Qui a fait la ch. doit *RZ* ; Qui fait la ch.
face (doit faire) *BaQ* ; Qi f. chape se fait ch. *Ca. Cf. 1170* —
1791 Qui a f. a compaignie *T* — 1793 = *Z* — 1794 a d.
pres ; Qui a estront l. de totes parz enbrace la merde
(merde enbrace) *VF*β*(Resp.)*, cunchie s'en part *VD* —
1795 = *CaU'* ; si *manque RZ* (Haur. VI, 70 : Qui a h. de
gaignier) — 1796 Qui premier v. au m. (premier) d. m.
R(Z) ; Qui pr. engrene pr. d. m. *Q* — 1797 = *K'LPV(AF*β
HD) ; *plur.* *VF*α — 1798 quil ne doie *VA*, ne veit *K'* ; quil
ne vueille *VA*, ne deit *K'* — 1799 lou *manque CaQ* ; Qui
a a. tend a. luy fault *RZ*.

1805 il a *RZG* (*en latin*) — 1806 les beufz *QG* (*en latin*)
— 1807 *cf. 1811* — 1808 demorir. *Cf. 1824* — 1809 = *bdtv*

CNQU' ; il a *LP* ; Qi ad mauveys v. il (si) ad mauveys
m. *CaH* — 1810 a le d. *Z* — 1811 seruiant (*l.* serjant) *U* ;
si a un b. d. *E* (*fol.* 93). *Cf. 1612, 1807* — 1812 = *BaFHP* ;
Qui mester a *LVA*, besoig a *K'* ; Qui du feu a m. *ARZ* ;
Qui a besoing du (de) feu *QU'(Ca)* ; au doy *RZ* ; le quiere
BL ; ou son (avec le) d. le vet (va) querre *TQ*, a son d.
le doit querre *U* ; as ungles se (*l.*le) qu. *Ca* (Haur. II, 93)
— 1814 *Cf. la loc.* Escouter m'a mis a honte *Q* — 1816 = *Z*
— 1817 Qui a afaire a pr. il se r. *P* — 1820 *Cp. Baud. de
Sebourc,* VII, 659 — 1821 = *Z* — 1822 = *EFG. Cf. 1826*
— 1823 Qui ad bon a. *Ca* ; nest pas povre (naura ja pou) *Q*
— 1824 = *RZBret.* ; Qui a d. *U'* ; il ni a *BaQ. Cf. 1808*
— 1826 *cf. 1822* — 1827 = *Z* — 1830 Qui plus autre greve *U*
— 1832 b. die ; bel oie (oest) *BaR* — 1835 = *bGHMPQT* ;
a *manque CaIK'NRUU'Z* ; tart le (il) o. *IS* — 1836 = *RZ*
— 1837 = *Z. Cf. 1441* — 1838 = *CaIKK'LPQRU'V(FaA)Z*;
ne se repent *VD. Cp. 248* — 1841 = *U'VH* ; esta *Ca*, stat *U* ;
ne se moue (*l.* move) *U*, mue *Q*, remue *dBCaRTZ*, remut *Ba*
— 1842 *L'éd. citant la var. de Z* : qui le voie, *propose pour R* :
aguete *ou* acoute — 1843 = *btFGNRZ* ; il le tr. *E* ; bien
avera *CaU'*, aura *Q* — 1847 *cf. 2112* — 1848 *cf. 1852 ss.*
— 1849 Qui b. t. il a (*sic*) *Z* — 1850 *cf. 907.*

1852 le bien *DGPRZ* ; il se folie *P*, dechoit *D*, fourvoie
vel desoit *G* ; (il) fait folie en (a) son esc. *RZ* — 1853 Qui
voit bien *F* ; et male aprent *Ca* ; sen r. *BaFHU'* ; nest pas
merveille sil sen r. *G* — 1854 = *tL* (*incomplet*) — 1858 = *Z*
— 1859 *Cp.* Qui a le meilleur si l(e) envie *S* — 1860 enveit
V(DD') ; a son cuer *DEGVF?* ; b. n. au cuer li touche *F* —
1861 bon maistre *RZ* — 1865 *Cf. Romania,* L, 511 — 1866
braies ; brez *VA* — 1869 Qui chien va a R. mastin sen r. *Q* (*cf.
1089*) — 1870 = *L* — 1871 Qui que s. leve (*l.* l'ive) *Q*, nostre
jument *RZ* ; le p. en est nostre *QRZ* (Fehse, 20) — 1872 *cp.
777* — 1873 encontre *K'* ; laguillon *DG* ; regibe *dR*, recule *Z*,
eschauceirre (s'eschausire) *K'Ca*, enchauce *L* ; dou fet
(*l.* fez) se poi[n]t *L. Cf. 622, 2180* — 1874 = *K* ; lunete *P*,
ymage li s. *L* — 1875 moysson *K'* (*cf. Romania,* XLVIII, 494,

n. 2, *et le n° 1485*) — 1878 = *Ca* ; Qui cr. fames *Ba*, femme
cr. *U'* ; Qui maintient m. et le de *Z* ; Ne mourra ja *RU'Z*.
Cf. 1603 — 1880 = *K'PRV(FαH)Z* ; corroies *VFβ* ; Qui
veut quir dalier c. d. *VD*. *Cf. 1739* — 1882 quant q̄ il demande il *Z* (A. Jubinal, *Jongl. et trouv.*, p. 94) — 1883 Qi
des autres *Ca* ; s. m. oblige *BaU'*, noubliee *C* — 1884 Qui
deable a. d. vent *Z* — 1885 Qui des bons *Q* (+ ja des mauvais
ne luy souvienne) — 1886 = *BaCaU* ; de bones *P*, des bons
RZ ; Qui de bon ist (it) *BN* ; s. yaut (eut) *BK*, bon fl. *N*
(Haur. II, 281) — 1887 *cf. 2408* — 1888 de lonc baston le
deit baisier *K'* ; Qui a ch. a c. ja ne portera menor b. *L* ;
Qui de matin fait son c. n'en doit porter menre b. (ne d.
p. plus de b.) *RZ* (*cf.* Ch.-V. Langlois, *La vie en France
au m. â.*, p. 169, n. 2) — 1890 *cp. 1449* — 1891 Qui de gl.
ferra autruy A gl. ira le corps de luy *QRZ* (*cf. 1942*) —
1892 = *CZBret.* ; Qui d'onneur *vel* de donner *R* ; Qui desho-
neure nature (*sic*) h. ci est sa dr. *Ba* — 1894 *cf. 250* —
1896 guite — 1897 se resquent *Ba*, se conchie *R* — 1898 = *VH*;
Qui de l. se prevoit *c*, se guarnist *K'*, garde *v* (78) *L* ; si
sesjoit *C*, s'en joist *Ca*, se jot *K'* ; de pr. joist (jot) *LPV(AFβ)*
— 1899 sesjoist *K*, se jot *K'* ; Ki de l. v. que aimet de pr.
se ejoist *I* — 1900 dou l. ; pres en va la ploie *L* (*cf. Romania*,
L, 511). *Fec. Ratis*, 10.

1902 Qui a d. em b. sa vin *VFα* — 1903 *cf. 1441* — 1904 *Cf.
Romania*, L, 511 — 1906 = *PRZ* — 1907 = *K'* ; et nule
VD ; Qui (Cil qui) d. choses ch. *PV(FαFβ)* ; nule (et n.) nen
pr. *V(FβFα)*, ne l'une ne l'autre ne pr. *P* (*sur la var. de Q*,
voir Romania, XLVIII, 542) — 1910 *cf. 1350* — 1911 Qui d.
Dieu luy d. *RZ* (*cf.* Ler. I, 22, *et le n° 2021*) — 1913 Qui
e. e sort de suen se vit *K'* — 1914 = *IT* ; Quen j. *U* ; con-
sent *U* ; en jeu *CaQ*, a jeu *JL* ; en jeu se c. *KP*, jouer l'esconvient (luy couuient) *RZ* — 1917 Qui est entre les l. il fault
hurler *Z* (Fehse, 24) — 1918 *cf. 140* — 1919 sa goute *VA*
(*cf. la note de Langlois, et le n° 1134*) — 1921 = *RZ* ; si
nest *Q* — 1922 = *G* ; et il nest b. *E* (Haur. II, 97 ; IV, 102 ;
VI, 72). *Cf. 243* — 1923 = *K* ; si nest *tBaFG*, nen est *U'*,

nest pas *Ca1* ; il nest seurpris *E* — 1926 *cf. 845* — 1927 *Cp.*
Qui est courouce nest pas aise *Z* — 1928 *Var. de 317* —
1929 = *Z* — 1930 pres de monstier *RZ* ; il est *Z* —
1934 = *VFα* ; Qui seschiue *U'*, garde *HZ* ; m. en est *Ba,*
luy en est *RZ* ; au (a) souper *PU'* ; m. li est de s. s. *Ca*
(Haur. IV, 119) — 1935 Qui f. son povoir ne se f. mie *Q*
— 1936 = *K'E* (*en latin* : legem suam implet) ; Qui f. ce
quil doit *VA* ; Qui ce f. que il p. t. les lois a. *VFβ* ; Qui f. que
p. ses l. a. *VFγ* ; on ne li doit plus (rien) demander *PVFα*
— 1937 Qui maine desraison soi (se) f. *Bret.Ca* — 1938 et
ne p. rien ne fait *K* ; Qi rien fet rien ne desert *J. Cf. 2138,*
2211 — 1939 = *H* — 1940 *cf. 2188* — 1941 ne c. son doi
VA, ne congie sa m. *VFβ* (Haur. IV, 118 ; VI, 70). *Cf. 2110*
— 1942 *cf. 1891* — 1943 *cf. 2242* — 1944 *cf. 1886* — 1945 Cui
il ne tien[t] foi non fet il s. *VH* ; Qui f. ne t. s. ne garde *P*
— 1947 Qui f. e. en mer nauera p. ne el *VD* ; Ki f. e. a mer
ne p. ne el *KK'* ; Qui la mande (merde) e. a mer il na ne
p. [ne ayell (oil)] *Q* (*suppléé d'après deux renvois*) ; Qui
chetif e. a la mer il n'aporte (nen raporte) ne p. ne sel *RZ*
— 1948 = *NPRZ* ; folie at. *VH* — 1949 = *btCQU'* ; deit
oir *CaL.*

1951 = *Q* ; Qui bien est b. *RZ* — 1953 *cf. 2270* — 1954 = *Q*
(Haur. II, 280) — 1956 = *RU'Z* ; haite *B* ; Qi h. glut *Ca,*
Qui lu h. *L* — 1959 Helinant, *Vers de la mort,* XXXIX, 12
— 1960 Qui es folle jeune (j. f.) veille en a des fr. *Q* —
1961 = *G* ; santit *P. Cf. 509* — 1962 Qui l. nen a m. desire *K'.*
Cf. 2001 — 1963 *Var. de 1139* — 1964 = *QRZ* ; vet *L* —
1965 Qui peine (*cf. Romania,* XLVIII, 534). *Cp. 2144* — 1966
Qui l'a brassé *R. Cp. la loc.* : Si com il ad brache si beyve
Ca, et le n° 1989 — 1967 Qui but si soille *L* — 1968 = *VH* ;
le s. aproisme *VA. Cf. 2328* — 1970 = *RZ* — 1971 *cf. 2204*
— 1973 = *DEG* ; Qui pert lui *P,* Qui ses (*l.* soi) mesmes
p. *R* ; dautr. nait joie *F* — 1974 = *BaDFGLPQRU* ; Qui
moi a. *BEU'VFα* ; et *manque VFα* ; aime mon ch. *CaQT,*
aussi mon ch. *S,* si (il) aime *VH(Z)* ; Qui aime moi s'aime
m. ch. *N* — 1975 = *Q* — 1977 = *P* — 1978 Qui a mal

PRZ — 1980 = *Z* ; mal il rapporte *S* ; Qui entent m. raporte
m. *Q* — 1981 = *N* (*en latin* ; *cf. Romania*, XLVIII, 500) —
1982 A qui m. faiz *K'* ; Qui m. f. ne le cr. *N* — 1984 Qui
mame (*sic*) — 1986 Qui m. sert *P* — 1987 = *N* ; Qui (a)
mauais *U'* ; Qi meys s. *Ca* ; Qui m. seignor s. *d* ; ses euvres
(*Ca* : hures) p. *cU'*. Cf. 2271 s. — 1988 *cf. 2156* — 1989 *cf.
1966* — 1990 m. troille *L* — 1992 = *P* ; Qui plus *bcL* ;
autre *CaFK'LQZ, manque RVA* ; de soi *BaCaDK'QRV(FαA)* ;
à molin *VFα, manque Z* ; au m. murt *L*, mora *DG*, dei[t]
morir *K'*, va mort *Q* ; il meure de s. *Z* (Haur. II, 281) —
1993 autre *F* ; bien *manque G* — 1995 = *GHIPVFα* ; ne
p. faire *Q* ; o sa v. *K'LQRTResp.* ; dort *R*, sandort *UResp.* ;
avec sa v. se couche *Z* — 1997 G. li Muisis, t. II, p. 8 —
1998 = *P* — 1999 Qui argent na *d* ; Qui na deniers si laisse
g. *Q* — 2000 ayle au (si aille a) pie *CaQ*, voist *VFα*, si (se)
voist *BPV(AFβH)*, si vait (vat) *t*, si soit a p. *Ba* (*Fec. Ratis*,
599).

2001 = *C* ; looe *D* ; si ait de liaue *E*, de laigue *vel* de la
brue *G* ; Qi nad de howe (*l.* lowe) eyt del awe *Ca*. Cf. 1962
— 2002 *Cp*. Rien ne paye qui n'a de quoi *S* — 2004 *Corr.
de 2147 ?* — 2007 il n'a nul ammi *P*. Cf. 104 — 2009 *cf. 79 s.*
— 2010 = *bCaK'PQVA* ; s. le tuert *VFα*, le doit terdre *L* ;
souef le t. *RZ* — 2011 il *manque Z* — 2014 Haur. VI, 69
— 2016 Cui il ne ch. *U'* — 2017 Ki conte ne pr. ne set que
d. *VA* — 2018 = *RZ*. Cf. 1349 — 2022 Dieu luy t. *R*.
Cf. 1911 — 2023 = *tEHKRV(AD)* ; ce que *P*, que il *IL*,
ce que il (quil) *DG(VFαResp.)* ; ne pr. ce quil *PResp.*, il
ne pr. pas ce que il d. *DG* — 2024 *cf. 1789* — 2026 = *BI* ;
qu. puet *K*, qu. il le p. *Z* ; il (si) ne f. *CDGPU'(T)*, ne f.
pas (mie) *BaF(EU)*, il ne (ne le) f. pas *NQR(Z)* ; ne fra
qu. volt (il voudra) *K(JResp.)*. Cf. 1458, 2107 — 2029-
30 Maître Élie, *Ovide de arte*, 561-2, Kühne — 2032 naira
ia le gr. *Z* — 2033 *cf. 1174* — 2034 = *LQT* ; Qui plus (*corr.
en* pas) ne p. *U* ; Tel ne p. qui e. c. Cf. 859 — 2035 est cime
— 2036 ne crest poynt en espye *Ca* — 2037 *cf. 1306* —
2038 Qui ne p. du mail si forge de la qu. (*sic*) *Z* — 2039 = *R*

— 2040 = *D* ; a lavenant *EFG* ; *cp.* Qui naura de quoy
p. si s. b. au pris de largent *Q* — 2043 *cp. 2074* — 2045 *Fec.
Ratis*, 130. *Cf. 64* — 2047 *cf. 1035* — 2048 cointoie *Ba*,
soi cointoist *U'*, si est (soit) cointe *QR* — 2050 = *RZ*.

2051 ne se g. *U'* ; Qi ne voet (*l.* voit) il ne se esgarde *Ca*
— 2053 si t. ses yeulx *Z* — 2054 ne se (sa) part *RZ* —
2055 si rut *E*, si y rue *RZ* (Helinant, *Vers de la mort*, I 9 ;
Renart, I, 1872) — 2056 Qui nee ne g. qui ne voit (?) *Q* —
2058 Qui a *bCa* (*cf. Romania*, XLVIII, 505), avec son s. *CRZ* ;
mengue (-ut) *RZ* ; il *manque Ca* ; il na mie les *C*, il ne choisist pas des pl. b. *Z. Cf. 882, 1176* — 2060 Qui a pain (pes)
et s. *cVH(L)* ; r. est et si nus set *C*, il est r. et nel set *VH*,
si est r. quil ne set *K'*, r. est asez *L* ; Molt est r. et nel s.
qui a p. et s. *VA* — 2062 *Fec. Ratis*, 248 — 2063 Qui au
m. *DGV(FαAFβ)*, au main *E* ; Qui matin reçoit la c. *VH* ;
tot le j. la p. *GVH*, t. j. la conporte *V(FαFβ)* — 2063 ja
net ; Qui p. et lest (*cf. Romania*, L, 508) et pr. le pire dieu luy
devroit bien nuyre *Q* — 2068 = *R* — 2069 = *QV(AH)* ;
Qi pou eyt e pou p. *Ca* ; et *manque K'* ; Qui p. a p. depart
Ba (*cf. 2101*) ; de gr. chose *C*, de petit se d. *K'LV(FβD)*
— 2070 = *VFα* (*var. de 2069*) — 2072 = *tL* ; si *manque R* ;
si v. il *Z*, il (cil) veut *V* (*FαA*) ; Qi pou me d. vivre me
voet *Ca* — 2073 ne *manque VFα* — 2074 = *CHPRZN*
(*en latin*) ; conueut (*l.* cueut) *Ba* ; Qui p. somme (*l.* semme)
p. recuit *U'* ; Qi poy s. poy cuist (*l.* cuilt) *Ca* (*cf. 2043*) —
2076 *Cf. Romania*, L, 512 — 2078 Qui mieus a. *PRZ* ; qe mere
Ca ; si est *CaQ* ; cest fainte n. *P*, faulse nourreture *RZ* ;
Mult est f. n. qui pl. aime (ainme pl.) que m. *t* — 2079 Qui
pl. i a mis pl. i a perdu *E* — 2080 = *BaCPRZ* ; et plus
(plus il) c. *BCaU'(Q). Cf. 1753* — 2082 *Cf. Romania*, L, 513 —
2083 = *Z* ; Que pl. couve le feu pl. art *R* (*cf. Pamph. et Gal.*,
152, Morawski) — 2085 doit bien aller en le longai[g]ne *Q*,
na mestier en bonne ville *RZ* — 2089 Qui plus couvoite
QRZ ; la c. *P* (*cf. Diz et prov.*, XIII 3-4) — 2090 = *P* (*var.
de 398*) — 2091 = *CFGHPRU'Z* ; Qui pl. tost m. (m. pl.
tost) quil ne d. descent (chet) pl. tost quil ne v. (devereyt)

QCa. Cf. 1368 — 2094 Qui bien se c. peu se pr. *S* (= *Diz et prov.*, LXXI 3) — 2095 noiant f. *T* — 2096 Qui bien se m. bien se v. *S* (= *Diz et prov.*, LXXI 1) — 2097 plus a a souffrir *S* (*cf. 1657*) — 2099 = *Q* ; Qui p. a. euure *C* — 2100. *cf. 1217.*

2101 pue-pue. *Cf. 2069* — 2102 *cp. 2136* — 2103 = *Ba K'TZVA* ; Qui primes *CaV(FβD)*, avant *BVFα* ; ne sen r. *BCLPRUU'V(FαFβ)* ; + si non des coulz *Q* — 2104 Qui pr. nen joit et qui *P* ; ki demande mal ot *K* (*cf. 1267*) — 2105 *cf. 576* — 2106 Cil qui pr. e il ne s. *H* ; et il r. ne s. *U'* ; se *manque Ba. Cf. Perceval*, 1009, Baist, *et le* nº *2171* — 2107 *cf. 2026* — 2109 *Cf. Romania*, L — 2110 *Var. de 1941* — 2112 *cf. 1847* — 2114 *Var. de 526* (*cf. aussi 2070*) — 2115 *cf. 2491* — 2117 = *atPQRZ* ; li *manque S* (272 = 285) — 2118 = *U'* ; d. lacroust *PQ*, lacroist *Z*, lacroup *R* (*cf. 2177*) ; Qui sab. sesaise *H* — 2119 *lettres grattées* — 2121 = *tvK'Q* ; Qui se quite *L* ; ne se mecompte *Ca* — 2123 Qui est s. il se d. *Z* (*Dolopathos*, 1636, Brunet). *Cf. 802* — 2125 = *Q* (*Fec. Ratis*, 206) — 2126 mengut *Z* — 2129 *cf. 846* — 2131 *ailleurs* : pourete — 2132 *Cp. Vie du B. Th. H. de Biville*, p. 153 — 2134 *Cf. Anc. th. fr.*, II, 319 (Qui se course) — 2135 = *a* ; Qui se r. de son lieu le p. *Q* — 2136 *Cf. Yvain*, 641, *et le* nº *2102* — 2137 sa bra(ui)un *L* ; manjue br. *K'Resp.* — 2138 = *EFGPRZ* ; et ne pas sert *M. Cf. 1938* — 2139 de la c. et la c. *cBaGRZ* ; Qui esl. la c. et la c. lui *P* ; Delessez la c. et elle vous delerra *Q* — 2140 Qui est loing *tBaK'QRZ*, loinz est *LE* (*en latin*) ; de son esc. *U'*, sa cuelle *U*, sa (la) table *RZ* ; est pres *QZ*, si (il) est pres *tK'R(Ba)*, pres est *L(E)* ; il apr. a soun d. *Ca* — 2142 Qui s. sen rit de f. se m. *L* (*cf. 1738*) — 2143 *Rom. des Sept Sages*, 1869, Keller — 2144 = *K'* ; Qui s. il (si) s. qui va il (si) 1. *V(FαA)H* ; Qui va (il) 1. qui siet (il) s. *VD(PS)* ; Que vent 1. que fet s. (*sic*) *L* — 2146 = *CU'V(FαA)* ; Qui veut son veel t. *Ba* ; la *manque R* ; m. sure (sur) *LP(QRZ)*, mette sure *Ca* ; Ki het soun ch. la r. li m. soure *VD* — 2147 *cf. 2004* — 2148 enlesdit ; enl. sa face *Ca* ; Qui s. n. tranche

GK'PResp. ; sa f. deffigure *CP*, desonore *K'VDResp.*, defface *vel* deshonneure *G* — 2149 sa f. vergonde *Q*.

2151 = *C* ; quil nen *Q* ; lem le deit l. *Ca* ; il se doit bien tenir en p. *Q* — 2152 = *Z* — 2153 Qui de nut se h. corce se vet c. *L* — 2154 = *KK'* ; Qi tart vient a l'hostel primes se c. *Ca* (*cf. 2158*) — 2155 *Fec. Ratis,* 266 — 2156 *ailleurs* : A qui te f. (Haur. II, 96). *Cf. 1988* — 2158 = *Z. Cf. 2154 et 1934* — 2159 il ne la mie *E* ; Qui t. ang. (aguille) par la c. peut (il peut) bien dire quelle nest pas soue *QR*(*Z*) — 2160 la paile *C*, palle *Q*, paille *R*, poille *Z* ; il *manque Q* ; si la t. ou il v. *Ca* ; Ki t. la cowe de la pelle si la t. quel part il wet *U'* — 2161 = *RZ* — 2163 = *cRZ* ; Qui tout d. *Q* ; d. f. il d. *S* ; Qui donne t. il donne d. f. *P. Cf. 1629* — 2165 = *bdvCaK'LQRU'Z. Cf. 809, 2170* — 2167 = *BV* (*FαA*) ; t. me nie *BaK'LVD*, tout *tCaQVFβ* — 2168 nient ne me pr. *K* — 2169 Qui tant s. *Bret.* — 2170 = *P* ; Qui t. couuoite *VA* (= *2165*) — 2171 = *Z* ; s'amour de son a. le t. *R. Cf. 2106* — 2173 Qui torp a fufanz (*sic*). *Cp. Fec. Ratis,* 498 ss. — 2175 = *SZ* — 2176 = *U'* ; si *manque Ca* ; ci sacroupe *Ba* — 2179 = *GVFα* ; Qui une f. poille *R*, porte *Z* ; ne tont d. f. *VA*, ne deus ne trois ne t. *P*, d. f. ne tost *Ba*, ne toud *Z* — 2180 Qui deux f. se recule d. f. se fait poindre *Q. Cf. 1873* — 2182 ne se tort pas *G. Cf. 907* — 2183 = *LQ* ; Qui veut *Ba* — 2184 e enfant *K* ; Qui v. moigne ou e. s. *J* ; tute sentente p. *K* — 2187 Qui v. a c. vit a honte *RZ*, ne vit a hunte *K'* — 2188 Qi fait a son v. fait a sun d. *Ca* (*cf. 1940*) — 2189 *cp. 1309* — 2190 soie ; la m. de son v. *U'* ; bien doit d. *U'* ; de la s. douter se d. *Ba*, deit creyndre de la s. *Ca* ; Qui la m. son v. voit a. (ardre) paour d. avoir (doit av. p.) de la soue (sienne) *RZ. Cf. 823, 1367* — 2192 = *Z* — 2193 *cf. 1060* — 2195 *cf. 1637* — 2196 = *RZ* — 2197 sa geue — 2198 *cf. 2221* — 2199 = *Z* — 2200 Rubaut. *Cf. 2484.*

2202 Rien ne vault grant c. en p. p. *Q* — 2204 = *LQ. Cf. 1971* — 2205 = *EFG* — 2208 = *CaQU'Z* ; R. ne set *Ba* ; qui a. est *R* — 2209 Li r. ne set que il (qui) convient au

povre *t. Cf. 1354* — 2210 Haur. VI, 69. *Cf. 992* — 2211 *cf.
1938* — 2213 Il ne s. riens *CRZ* ; vait *C* — 2215 cher *Z*
— 2217 *cf. 1689* — 2218 *cf. 1239* — 2220 moult h. *RU'Z* ; R.
fait maint h. *Ba* ; *cp.* Draps font ou deffont la gent *Q* —
2221 Roy et royne *Z* (*l.* Roi et Rome ; *cf. 2198*) — 2223 La
cité de Babiloine *Q* ; ne fust mie *R* ; ne fut pas f. en *Z* —
2226 qu. fait f. *Bret.* — 2227 *cf. 1285* — 2228 en pont *VA* ;
S. h. ne chara ja au p. quaril de cent *L* — 2231 *cf. Romania*,
XLIII, 155 — 2232 G. de Coinci, 215, 194 (*cf. Romania*,
XLII, 605) — 2234 a la m. de la f. (*Fec. Ratis,* 43) — 2235
Si ; f. seit *T* (*cf. Romania*, L, 512) — 2236 *cf. 269* — 2237 si
le acheta il *Z* — 2238 *cf. 427* — 2239 Si ; *cp.* Si pleit pent
ne pourrist neant *Q* — 2241 *cp. 84* — 2242 *cf. 1943* —
2243 Si. *Cf. Erec,* 4436 s. — 2244 = *RZ* — 2246 = *RZ* —
2247 Segon son g. *t* ; son voir *tQ. Cf. 499, 633* — 2248 Seconz
Ba (*cf. 1569*) ; S. le fait la p. *Q* — 2249 = *EU'* ; S. seigneur
CaQS, le maistre *R* ; m. debte (duyte) *Q,* la m. est d. *Z* ;
S. le s. la meisnie *Ba* (*cf. 165*) — 2250 = *RZ* ; S. tens
tempr. *K'*.

2252 le ch. est de leysir (*l.* a ch. est desleisir ?) — 2253 Si
— 2254 *l.* Voi (*cf. Diz et prov.*, CCXLIX) — 2255 au roi *Ca* ;
est per *CaGPQ* (*cf. 2460*) — 2256 = *R* ; seroient roi *Z*
(*Vie S. Franchois*, 2931, Schmidt) — 2257 *l.* aidier ?
(*cp. 2190*) — 2259 = *J* ; Ainsi f. *tPX* ; qui ne v. goutte *X*
(S. de Freine, *Rom. de phil.*, 576 ; *S. Georges*, 334, Meyer)
— 2262 = *tB* ; Aise *P* ; garde *manque Q* ; i(l) giet *Q*, gient
Ba ; que (*l.* qui) y rue *R,* que y getter (*sic*) *Z* — 2263 = *vP* ;
S. nage *RZ* ; a qui *HK'LQRZ* ; sostient *K'RZ* ; ke lum
tent par le m. *VD* — 2264 Souefue *Z* — 2265 = *Q. Cf. 314*
— 2266 = *BL* ; S. croit *BaQ* ; qui a constume (us) la *BaK'*
— 2269 = *Ba* ; S. esteut *Q. Cf. 876* — 2270 *cf. 1953* —
2271 = *t. Cf. 1987* — 2272 Tout son t. p. *P,* Sa entente
p. *K* ; qui mauvais (ki a m. hume) s. *PK* — 2274 *Cp.* Len
ne doit faire souffert (*l.* sourfeit) de rien *Q* (*cf. 624*) —
2275 = *Ca* ; et s. c. *A* ; Trop parler n. (et) trop grater c.
RS(U'Z) ; Trop p. n. seurparler (*l.* grater) c. *C. Cf. 2426*,

2428 — 2276 *cf. 1542* — 2278 = *U'Z* ; S. serra bl. *Ca* ; S. on blasme qui trop parole *R* — 2279 *Cf. Romania*, L, 513 — 2280 hem — 2282 *Rose*, 14898, Langlois — 2283 = *AK'* ; et tant te pris *EGQ* — 2284 t. anuie *VA*, deus aiue *P*, si aide *R* ; T. comme vous dures si aydes *Z* ; T. est bon cumme d. si aie (?) *VD* — 2286 Tandis com *M*, Entrementes (Entretant) que *RZ* ; au bois *MQ* ; le lou (sen) va au b. *RZ*, curt li levre al b. *Rêsp.* — 2287 = *T* ; Tandis con (que) *b* ; T. come iou (*corr. en* ieu) *U* ; len le doit (si le d. on) l. *CaQ(U')*, leissier le d. len *B* ; Il fait bon l. le geu tandis (tant) quil est bel *RZ*. *Cf. 646* — 2291 = *Z* ; On crie tant *S* (*cf. la note de Langlois, et Romania*, XLVIII, 488) — 2292 que on heit (quant nait) p. la voie *t* ; T. d. on le chien bl. que on (con) ait la voie passee *vP* (*Rose*, 7392, Langlois) — 2293 = *N* (*en latin*) ; le fol *Z, manque R* ; qui (quil) se t. *RZ* — 2294 *cf. 1540* — 2295 = *BaU'* ; Tant de v. tant de g. *B* ; En tant (Tant) de pais tant (et t.) de g. *RZ(S)*. *Cf.* Haur. II, 279 ; IV, 97, *et le nᵒ 357* — 2297 = *bAFHPQRSTU'Z* ; qui *U* — 2299 Maintenant pr. maintenant p. *RZ*.

2301 bue *corr. de* oue ; buire *U* ; que se peceie le coul *U* — 2302 = *aHPQRZ* ; T. va le pot au puis *FG* ; que il quasse *F*, qui brise *vel* quasse *G*, que il pece *L*, quil brise (se brise) le col *VFγ(AVH)* — 2303 c. on en peut avoir *RZ* — 2304 = *PS* ; T. v. home *CaQRZ* — 2305 T. venta quil plut *Z* — 2307 *Cp.* Tousjours sont P. en avril (en mars ou en a.) *RZ* — 2308 l. quant eissue est p. ? *Cp. 1728* — 2309 T. est m. a (al) cul *KR(VD)*, la m. au cul *Z* ; A tart est (met) m. a cul *LQ(VFβ)* ; qu. li pez est h. *V(FβD)*, en est h. *LQRZ* — 2312 Tel chien n. on qui puis mangue la c. de son soulier (les courroies de ses souliers) *ZR. Cf. 1786* — 2313 *Erec*, 1-3, Fœrster — 2314 *Cf. R* 583 — 2315 *l.* qu'est. *Cf. 2369* — 2316 = *K'* — 2318 = *U* ; Tele-tele *AQRU'* ; Telle est la m. t. est la f. *T* — 2319 tel le menez *VA*, meines *K* ; Telle v. (voyes) telle (tel le) pr. *RZ* ; Tel me v. tel me pr. *S* — 2320 = *U'* (*Clef d'amours*, 1076,

Doutrepont) — 2321 *Cp.* Tel ty (a toy) tel my (a moy)
RZ(Q). Cf. 223 — 2322 Tel p. tert on *VA*, deschauce on *P* ;
que on v. avoir cope *VA*, con v. quil fu[s]t ars *P* —
2324 = *K'P* ; tel tespon *VFγ*, te espeir *VD* — 2325 *cf. R 248,
et le n° 793* — 2327 = *RZ* — 2328 = *cU'* ; son desir *QBret.
Cf. 1968, 2353* — 2329 Tu es cil qui bat les b. dont li autre
ont *FG* ; Vos batés les b. dont aultre (ung a.) prend (a)
les o. *RZ (Fec. Ratis,* 487) — 2332 *Cf.* St. Glixelli, *Trois
morts et trois vifs,* p. 20 — 2335 Tel porte [*Q* aucune fois]
le baston de quoy (dont) il est b. *RQZ. Cf. 1154* — 2336 = *Z*
— 2338 *Cp.* T. c. decevoir aultruy (autre dec.) qui soy m.
se conchie *RZ* — 2339 des oeufz au feu *Z* — 2340 *Var.
de 2342* — 2342 T. c. b. le coutel acon *K',* le c. soun cum-
painun *VD* ; sor les costes *VA*, les costez aucun *VFβ* ;
o tout le ch. *V(AD)* ; qui b. la ch. ovoc le ch. *K'* (*cf.* Mont.-
Rayn., II, 74, v. 842) — 2345 qui la depart *Q* — 2346 T. c.
batre *RZ.*

2351 = *PQU'* ; lacroist *CaRZ. Cf. 1185* — 2352 amendes
qi les d. d. *Ca* — 2353 *Var. de 2328* — 2354 a la d.-a la d. *R*
— 2355 *cf. 1653* — 2356 louche *R,* boit *Z* — 2357 = *Z* —
2363 = *tRZ* ; qui *manque Ca* ; grant *manque Q* — 2364 = *U'* ;
qui onc ne b. *Q* — 2365 qil le m. en la m. *Ca. Cf. 1786* —
2366 = *CaQU'* ; nuysir *K',* noiser *VD,* bien nuire *C* ; qui
manque L ; T. nuit qui ne p. (pouroit) a. *P(RZ)* — 2367 qui
na nul t. *Z* (*cf. Baud. de Sebourc,* XXIV, 137) — 2368 = *RU'* ;
Tel r. matin *S* ; qui pl. au soir *Z,* devant (au) vespre *CaQ*
— 2369 *cf. 2315* — 2370 qui se desturbe *Ca,* encombre *Q*
— 2371 qui se frape *Z* (*cf.* Le Roux, II, 421) — 2372 = *PQ
RZ. Cf. 1183* — 2374 Qui sembat c. ch. (soz) si vit (vait)
c. h. *V* (*FαFβ*) — 2375 qui na point de mal *Z* — 2377 Tel
v. une grande ordure en loil de son v. qui ne la v. ou sien *Q*
— 2378 Troiz foiz cest li dr. *Ba. Cf. 169* — 2379 = *HLP* ;
T. torte p. fet *K'* — 2382 = *K'PRZV(FβD)* ; T. leine
KVFα, boise *VFγ* ; f. boin feu *U. Cf. 564* — 2384 *Cf.* A. Jubinal, *Jongl. et trouv.,* p. 102 — 2386 au chariot tout va a *Z*
(G. li Muisis, I, 309). *Cf. 343* — 2388 *cf. 1590* — 2389 *cf. 2394*

— 2393 *l.* as pr. *?* — 2394 *cf. 2389* — 2395 = *S* ; lor temps *U'*
(Haur. IV, 142, 158) — 2396 = *vCaQRZ* ; + e si eles sunt
ne sunt mäures *K'* — 2397 = *T* ; file *U* (*Fec. Ratis*, 241)
— 2398 T. vient *RZ* — 2400 tant que *Z* (*cp.* Haur. VI, 72 :
T. est p. cen qu'en met en sac percié).

2401 ce que e. on f. *Z* — 2402 fut ly prés tondus *RZ* —
2403 qui riens ne pr. *VFα* ; *cp.* Qui ne pesche que une
loche si pesche il *RZ* — 2404 et sera tout a a. *Q* ; T. fust
a a. et t. s. a a. *RZ* — 2407 T. se passe *RSZ* ; fors le bienfait
(merite) *S* (Haur. VI, 71) — 2408 qu. de ch. naist *R* ;
T. charge tant que *Z*. *Cf. 1887* — 2409 Tut ; Len dit en
reprovier que touz jours aime amis *t* (*cf. Romania*, XLVIII,
494, n. 3) — 2410 Toudis — 2411 posches et molz. *Cf. Vers
de le mort*, LXI 11 s., Windahl — 2412 T. ne heurteront
pas *Z* — 2413 = *Z* — 2415 joüil — 2416 Haur. VI, 69.
Cf. 1032 — 2417 = *HU'* ; Toudis *P* ; sent *RSZ* ; + car
ce que on a apris an jonesce on le maintient volentiers en
viellesce *P*. *Cf. 1099, 1768* — 2418 *cf. 1135* — 2419 T. est
liez *VA* — 2421 niert mie gillous m. *VA* (*cf. Romania*, L,
513) — 2422 = *U'* ; Tout voir *tCa* ; Tuit (Tout) voir ne sont
(nest) pas bel (bon) a d. *MP(RZ)* ; T. vray dire nest pas
bon *Q* — 2424 = *CaQRU'Z* ; Par trop *S* ; emquerir *P*
(*cf. 771*) — 2425 *Cp.* Tr. grant faveur nest pas bonne *Q*.
Cf. 816 — 2426 *cf. 2275* — 2428 = *tGHQ* ; nuit plus que
trop taire *P*. *Cf. 2275 s.* — 2429 le pilier — 2430 = *P* (+ car
cest folie). *Var. de 1217* — 2431 vient tost *K'* ; T. tost
(souvent) v. a la porte *ZR* ; qui males (malvaises) noveles
aporte (y aporte) *NZ(R)* ; T. tost v. cil qui mal raporte *S*.
Cf. 168 — 2433 Toutes paroles se l. d. *PQ* ; + et tout pain
mengier *V(AD)* = *K'P* — 2434 tree p. (*cf. Romania*, L, 500) —
2436 de vostre main *VFα*, dune main *P* ; ne s. pas *V(FαA)P* ;
honni *P* ; Tous les (Les) dois dune main ne sentresemblent
pas (point) *Q* — 2438 serras *Ca* — 2439 chevance *CaR*,
chevauche *Z* ; le huan *RZ*, hiwan (*l.* hwian) *Ca* — 2443 = *Z*.
Cf. 640 — 2445 vouez (*cf. Romania*, XLVIII, 532) —
2446 = *Q* — 2449 et si chiet *Z* (G. de Coinci, 643, 573 ;

cf. Pamph. et Gal., 2296, Morawski) — 2450 advise *RZ*.
2451 = *CaPRU'* ; Ung seul j. *Q*, Un j. de terme *Z* (Haur.
II, 283 ; *Fec. Ratis*, 70) — 2452 *cf. 315* — 2453 = *Ca* ;
v. bien un bl. *U'* — 2454 *Cf.* A. de la Hale, *éd.* de Cousse-
maker, p. 291, *et le n° 438* — 2456 Un p. de renayn *Ca* ;
Ung pou de l. esgrist *Q. Cf. 543* — 2457 *Cf. Diz et prov.*,
CXXI 4 — 2458 Usage *CaQU'* ; fait le m. *U'* — 2459 = *CaU'*
(*Fec. Ratis*, 68). *Cf. 523* — 2460 *cf. 2255* — 2461 mieux ou
tu peux ; Va ou tu peulx *Z* (*corr. d'après* E. Ritter, *Poésies
des XIVe et XVe s.*, p. 26, str. III) — 2463 donne que d. *VA*
— 2464 V. ou plueue *VA*, Ou v. ou pl. *P* ; vait (si v.) qui
e. *K'VD(P)*, a qui est oes *VF*β ; Quant il plus plut erre qui
estut *L* — 2465 V. sauoleiz *U'* ; joye (joue) *Q. Cf.* Haur. VI,
69 — 2466 = *U* ; non pas c. n. *T* ; vieut (*l.* nient) cote
nove *K'* ; Saoul v. jeune (*l.* jeu(u)e) non belle robe *R* (*Fec.
Ratis*, 26 ; Renclus, *Miserere*, CXLVIII 3, Van Hamel) —
2468 ne qu. pas *Z* — 2469 = *Z* — 2470 = *K'* ; Deue (*l.* Veue)
d. est senz seingnour *VD* — 2472 Vieuz ch. nest preuz
a m. en landon *Ca* ; Tart (Fort) est v. ch. mettre (de m. v.
ch.) au (en) lien *LR. Cf. Fec. Ratis*, 21 ; Haur. II, 283, *et les
n°s 1532, 1688* — 2473 *l.* a bien ? *Cf. 2483* — 2474 *cf. 1302* —
2475 *réuni avec 2472* (= Haur. VI, 69) — 2478 = *Q* —
2481 = *QRZ* ; n. painne *G*, vergoigne *K'* ; V. p. nove ver-
goyn *Ca* ; Viez pechie engenrent n. h. *P. Cf. 574* — 2482 V.
estalon *K'* — 2483 V. pl. nuist et v. cete (*l.* dete) laissie *VA*.
Cf. 1301, 2473 — 2484 *cf. 1324* (*var.*), *2200* — 2485 d. arage
Ca. Cf. 847 — 2490 = *Z* — 2491 Vielx est tenus par tout
qui riens na *P. Cf. 2115* — 2492 et iustes m. *Cp.* Méon,
Nouv. Rec., II, 155, v. 17 — 2493 V. neust. *Cf. 1419* —
2494 Vit arret ne garde loy (B. N. fr. 881, f. 94 v°). *Cp. 237*
— 2495 *var. de 1634* — 2496 *cf. 510* — 2497 V. set tot *CaLQ*
(Haur. II, 282) — 2498 de folie — 2499 ou envis *P* ; Welle
ou ne welle *U'* ; Veillez ou nom comme le pr. va au s. (*loc.*)
Q. Cf. 1575 — 2500 = *CaPQ* ; Voye ch. *K'* ; V. grange *L* ;
Vuides (Vin de) chambres font (fait) foles dames *HZ(R)*.
Cf. G. li Muisis, II, 46.

INDEX[1]

abaissier (soi) 2118.
abit 1053.
abuvrer 844.
achat 1985.
achater 1858.
acoillir 2311.
acostumance 1404.
acroire 496, 1188.
acuitier (soi) 2121.
Adan 2435.
agnel 648, 892, 953, 1330, 1335, 1657.
agneler 48.
aguillon 29, 536, 622, 1873.
aïdier 1706, 2131.
ainz 404.
aise 39 s., 824, 1239, 1548 s., 1799, 2218.
aiue 275, 1438, 1616.
aler 62 s., 145, 224, 332, 1130, 1460, 1550, 1625, 1850, 2143 s., 2464.
alesne 61.
aloe 61*, 2243.
amende 2352.
amendement 77.
amender 233 s., 1192, 1826.
amer 6, 894, 996, 1441, 1512, 1535, 1541, 1550, 1835 ss., 1881,

1903, 1974 s., 1992 s.
2152, 2283, 2336.
ami 81, 170 s., 263, 288, 910, 914, 1136, 1140, 1161, 1240 s., 1331, 1357, 1362, 1412, 1417, 1508, 1651, 1823, 2354 s., 2409.
amor 84 s., 628, 979, 1145, 1364, 1440.
amoretes 200.
an 55.
anemi 288, 688, 925, 1607*.
anguille 92, 195, 921, 2159.
aoire 713.
aoust 629, 669, 803, 1579.
apareillier 1646, 1789.
aparoir 52.
apeler 1815.
aporter 254.
aprendre 707, 776, 1175, 2266 s.
aquerre (mal) 393, 478.
arbre 123, 189*, 520, 799, 1201.
ardre (ardoir) 823, 878, 1367, 2190.
argent 71, 104, 667, 1778, 1999, 2007.

arme 124, 2393.
asavorer 1174, 1358, 2337.
asemblee 487.
asez 539, 1242, 1425, 1819.
asne 18, 29, 141, 145*, 213, 340, 441, 614*, 639 s., 858, 887, 967, 1037, 1123, 1277, 1478, 1494, 1615, 1702*, 1771, 1777, 1820.
asnesse 536, 1702, 2122.
asnier 18, 213, 421, 590.
asnon 421.
atendre 248, 1189 1248, 1310, 1838.
atente 1244 s.
aube 465*.
aumosne 902, 1028.
aune 173.
auner 1555.
autel 1779.
avancier 346, 2120, 2370.
avantage 57, 217.
avenir 356, 1732, 2055.
aventure 356*, 438*, 630, 943, 1517, 1581, 1601.

1, Les astérisques renvoient aux variantes.

chastiier 256, 314, 592, 2265.

chat 17, 73, 75, 264, 371 ss., 498, 572, 1062 s., 1387*, 1395, 1428, 1489, 1563, 1887, 2408, 2448, 2471.

chate 1397.

chatoner 1194.

chauce 22, 67, 899, 1397*.

chaucier 1163.

chaudel 1685, 1742.

chauf 1609.

chaufer 900, 1183, 2372.

chaut 1379, 2251.

chemin 196.

cheminee 675.

chemise 558, 1717.

cheoir 210, 1370, 1528, 2015 s., 2385.

chesne 189, 1064, 1072, 1474, 1632.

cheval 8, 41, 149, 151, 375, 377 ss., 534, 909, 993 (note), 1006, 1018, 1338, 1344, 1361, 1494, 1747, 1765*, 2000, 2441, 2449.

chevalier 376, 424, 827, 1361.

chiche 205*.

chief 260, 341, 443.

chien 2, 15, 30, 76, 83, 344, 348, 380 ss., 571, 609, 624, 666, 681, 711, 879, 991, 1040, 1065, 1204, 1319, 1325*, 1326, 1387, 1511, 1532, 1597, 1669, 1676, 1688*, 1698, 1786,

1869, 1888, 1974, 2146, 2225, 2237, 2252, 2282, 2286, 2292, 2298, 2312*, 2358, 2365, 2374, 2472, 2480.

chier 1103.

chiere 220, 272, 992, 2210.

chievre 1560, 2234, 2297.

chose 385 ss.

chouan 2439.

clerc 327, 376, 401 s., 1095, 1255.

clergie 1278.

clop 37.

coc 737, 972, 1628, 1660.

cogniee 416, 2216.

colee 2063.

colon 19, 1067.

comander 527, 1870.

comencement 174, 1058, 1782.

comencier 386, 890, 1043, 2102, 2330.

comere 2119.

compaignie 406 ss., 636, 932, 1453, 1582, 2345.

compaignon 1369, 1787.

comparoison 323, 409.

compere 618, 1331, 1653, 2355.

con 327, 454, 1401.

confession 2488.

conoistre 191 ss., 390, 1480 s., 2094.

conseil 91, 414 s., 545, 777, 873, 886, 1113 s., 1205, 1589, 1678, 1727, 1872, 2019, 2057, 2333.

conte 2187.

conter 457, 2017, 2042.

contraire 476 s.

cop 828, 889, 1803, 2103*, 2244.

corbel 1769.

corneille 146, 325.

corre 1509.

correcié 1479, 1927.

corroie 453, 493, 998, 1764, 1880.

corroz 107, 501.

cors 270, 674, 2005, 2027.

cort 84*, 2139.

cortois 1257.

cortoisie 425 s.

costume 387, 427 s., 1206, 2238.

costure 497.

cote 1717, 2466.

coue 53, 660 s., 2038.

courde 418.

coutel 155 s., 429, 1707, 2342.

covenant (-ance) 430 s., 525, 1303.

covoitier 643, 2089*, 2164 s., 2334.

covoitise 434, 815.

covoitos 433.

crapot 446, 1874.

croire 255, 956, 1389, 1447, 2031, 2389, 2394.

croiz 196.

crouste 1540, 2294.

cucu 24.

cuer 94, 435 ss., 1021, 1023, 1069, 1565, 1568, 1766 s., 1940, 2014, 2202, 2306.

cuidance 1142, 1556.

cuidier 702, 2336 ss., 2370 ss,

lecheor 537, 839, 1041 s., 1626.
lecherie 1374.
leigne 2382*.
leu 15, 81*, 82, 98, 106, 310, 480, 583, 612, 619, 647*, 685, 1000, 1089 s., 1207, 1615*, 1672, 1769, 1900, 1917, 1956*, 2126, 2286, 2348, 2383.
levain 543, 2456.
lever 1197 ss.
levrier 1444.
lievre 284, 672, 686, 1373, 1507*, 1718, 2253, 2286*.
limace (-çon) 209, 637.
Limosin 1340*.
lin 304.
lion 1669.
lippe 512.
lire 336, 1687.
lite 1266.
loche 2403*.
loer 197, 215 s., 1484, 1970, 2128.
loi 422.
loiauté 1137.
loier 166, 708*, 1138.
loin 1971, 2204.
loissel (lemussel) 432.
longaigne 135, 1915.
los 1638*, 1802, 2327, 2453.
luite 169.
luitier 2029 s.
lune 1641, 1874.
luxure 2194.

M

maaille 273, 1149.
maçon 918.

maçue 186, 779.
mai 1390*.
main (s. f.) 1022, 1148, 1150, 1501, 2492.
main (s. m.) 181 s.
maisniee 50, 165, 277, 2249.
maison 72, 676.
maïstre 157*, 351, 865, 935, 1156, 1523, 1946, 2147, 2249*.
maistrie 1679.
mal 486, 504*, 561, 1092 s., 1151, 1184, 1293, 1341, 1382 (male), 1385, 1413, 1469, 1852 ss., 1978 ss., 2266.
malade 253, 1353, 1741.
maladie 504.
maleür 1551.
maleüros 411.
manche 519, 1187, 2038.
mangeor 472.
mangier 65, 101, 118 s., 152, 322, 1187, 1195, 1200, 1795, 1984, 2191, 2212.
maniere 1007, 1600.
manior 969.
marastre 1810.
marchandise 1008, 1679*.
marcheant 297, 403, 786, 919.
marchié 11, 42, 72, 74, 160, 290 s., 832 ss., 970, 1190, 1525, 2359.
mari 54, 2314.
Marion 1553.
marri 1927, 2134.
mars 1365, 2307*.

Martin (saint) 1312, 1771.
mastin 1132, 1294, 1430, 1444, 1869*, 1888*, 2253.
matin (-inee) 182*, 216, 552, 1112, 1114, 1197 ss., 1645.
matou 623*.
mauvais 966, 968, 1216, 1415, 1928, 1986 s., 2271.
membre 1580.
membrer 443, 598.
menace 1217, 2100.
menacier 1218, 2362 s., 2427, 2430.
mençonge 1219.
mener 2317.
menestrel 376, 1268, 2315.
menteor 37*, 1511.
mentir, 38, 280, 292, 399, 898, 1269, 1473.
menton 1760, 2263.
mer 1009, 1307, 1317, 1487, 1641.
merce 1666.
mercier 102, 1221.
merde 28, 410, 1222, 1620, 1757*, 1989 s.
mere 548, 756, 819, 1223 ss., 2067, 2078, 2318.
merle 1552.
Merlin 286*.
mesche 204.
mescheoir 442 ; meschant 188, 915.
meschief 2454.
meschine 1878.
mescroire 1389, 1912.
mesdire 774, 973, 1226.
mesfaire (soi) 852.
mesfait 161, 668.

mesnage 2384.

message 1807.

messagier 78, 293, 1227.

mestier 285, 1096, 1228, 1270, 2004.

mesure 384, 565, 567, 1085, 1229, 1730.

mesurer 1991.

met 202, 235.

metre 1232, 2079, 2093.

meür, e 178, 419, 693 s., 2396*.

meure 1925, 2396.

meurs 1006.

Michel (saint) 2232.

mie *v.* crouste.

miel 323, 880, 1097, 1308, 2076.

mien 1271, 1334.

mire 466, 1741, 1844, 2192, 2399.

mirer 2096, 2380.

moillier *(v.)* 1181.

moine 4, 1053*, 1486, 1901, 1998, 2184*.

mois 1365*.

moisson *(s. m.)* 1485, 1507*, 1875.

molin 179, 211, 352, 1083*, 1294, 1306, 1360, 1796, 2037.

moncel 184, 196.

mont (-de) 626, 634.

monter 1368, 2090 s.

monoie 1691.

morain (-el) 483, 1304, 1765*.

morir 709, 1309, 1377, 1419, 1929, 2129, 2461.

mort *(s. f.)* 68, 154, 417, 1010 s., 1139, 1963, 2344, 2353.

mort *(s. m.)* 846, 1098, 1516.

mortier 867, 1099, 2417.

morveus 519, 1699.

mostier 1930*.

mot (bon) 294.

mouton 98, 2229.

movoir (soi) 1841.

muer 1663, 1760.

musart 795, 1235, 1697.

N

nache (nage) 1324, 1876.

naistre 1797.

nape 119.

nasse 682.

nate 1324*.

nature 1273, 1326 ss., 1655.

neant 540*, 1476, 1519 s., 2391.

necessité 237*.

nef 1012.

nes 355*, 2148 s., 2371.

noces 1169, 1482, 2413.

noël 241.

Noël 2291.

noier 1350, 1909 s., 2056.

noise 1140, 1621.

noiz 227, 1448, 2411.

non 1100.

nonain 1029.

norreture 1399, 2264.

norrir 2032 s.

novel 532 s.

novele 78, 168, 179, 514, 2230, 2288, 2431.

novembre 669.

nu 843.

nue (nub) 1622, 2243.

nuire 947, 2366.

nuit 197, 1017.

O

oblier 258, 780, 1178, 1182, 1534, 1893.

occir 2132.

ochoison 39*, 1427 s.

offre 1429.

Ogier 342, 2398.

oindre 1845.

oïr 2254 ; o. dire 982, 1433.

oisel 16, 147, 549, 1434 ss., 1507.

oiseler 916.

oisillon 2329.

Oportet 1752.

or 56, 667, 1371, 1426, 1558.

ordure 1757*.

oré 2241.

orer 2099.

orgoil 100*, 2218, 2387.

orgoillos 614, 967.

ortie 1439, 1559.

oste 216, 522, 1562.

ostel 72*, 908, 1311, 2154*, 2158.

ostil (outil) 162, 855.

ostour 1514*.

oue (oie) 106, 1143, 1615*, 1671, 2001.

oueille 81*, 480*.

oule 259*.

ours 1336.

outiller (soi) 2150.

ovrier 162, 216*, 295 s., 1214 s., 2406.

P

paële 2160.
paiage 550.
paier 1748 s., 1846, 2040, 2364.
paille 1275, 1629.
pain 60, 517, 620, 773, 869, 896, 1025 s., 1101, 1231, 1276, 1288, 1391, 1576 ss., 1770, 1813, 2060, 2109, 2261, 2433*, 2457.
paine 444, 1157.
païs 357, 1102, 2295*.
paiz 2006.
papillon 1710.
parastre 2020.
parcele 1220.
pardoner 1087, 1682.
parent 1586, 2479.
parfaire 1938, 2211; parfait 1414.
Paris 1314.
parler 62, 242, 568, 837, 901, 2275 s., 2278, 2428.
parole 51, 105, 125, 225 s., 278 s., 458, 531, 544, 603, 1483*, 1592 ss., 1623, 1728, 2233, 2389, 2433*, 2442.
parrain 1771*.
part 2054.
partir 1776, 2064.
pasnaie 1965.
Pasques 1604 s., 2307.
paste 519, 984, 2379.
patin 31.
Pavie 1314*.
pecheor 535, 1700.
pechié 574, 1127, 1402,

1547, 1569, 1606 ss., 2025, 2248, 2481.
pechier 859, 2034.
pel *(s. f.)* 64, 888, 1670, 2477.
pel *(s. m.)* 129.
peler 1126, 2179*.
pelerin 78*, 1578, 1771*, 2224.
pelerinage 513.
pelote 12.
pendre 358, 1158, 1909 s., 2299.
pensee 489.
penser 1689, 2217.
Pentecoste 97.
perdre 130 s., 391, 479, 526, 593, 917, 1409, 1503, 1536, 1701, 1772, 1973, 2068 ss.
perece 1611.
perecos 1612 s.
perier 2262, 2429.
peril 1372, 1602.
pertruis 1598.
pesche 2411.
peschier 924, 2403.
petit 539 s., 615, 1128, 1252, 1587, 1617, 2356; *adv.* 2069 ss.
phisicien 530.
pie 1763.
pierre 1634, 2111; perete 806.
Pierre (saint) 1970.
piet 772, 1196, 1343, 2240, 2322, 2492.
pinçon 1615.
plaidier 946.
plaie 2483.
plain *(s. m.)* 269.
plaindre 134, 2375.
plaire 392, 2075, 2350,

plait 132, 286, 678, 797, 2239*.
planter 1690.
plenté 120, 542, 1644.
ploiier 1290*.
plorechante 1279.
plorer 142, 512, 1129, 1346.
plovoir 657, 903 s., 1019, 2305.
pluie 4, 100, 465, 506, 1141, 1562, 1624.
plus (li) 1091, 1106, 1493.
pluseurs 2300.
poche 208, 1759.
poil 1107.
poindre 2035 s., 2098, 2180.
poire *(s. f.)* 115, 882, 1443, 2058.
poire *(v.)* 541, 1234, 1652, 2219, 2349.
poisson 1947.
Pol (saint) 1970.
pome 1280.
pooil 515, 727, 939, 1661 s.
pooir 1574, 1935 s., 1996, 2039, 2107, 2491.
porc 1277.
porcel 103, 320, 902, 1490, 1633, 2289.
porchacier 1005.
poree 1520.
porpenser (soi) 1599.
porveoir (soi) 405, 1898.
pose 566.
pot 5, 163, 259, 1704, 2302, 2414.
poucin 359, 1108, 1340, 1619, 1660, 1765*.

TABLE

LES CLASSIQUES

DE L'HISTOIRE DE FRANCE

AU MOYEN AGE

PUBLIÉS SOUS LA DIRECTION DE

LOUIS HALPHEN

Professeur à la Faculté des lettres de Bordeaux

La collection des *Classiques de l'Histoire de France au moyen âge*, paraît à la librairie Édouard Champion, 5, quai Malaquais, Paris (vɪᵉ).

1. Éginhard, *Vie de Charlemagne*, publiée et traduite par L. Halphen. Un vol. petit in-8º, de xxɪv-128 pages (1923).

	Broché	Relié
Édition complète (texte et traduction). . .	7 fr. 50	10 fr. »»
Prix pour les souscripteurs à la collection. .	6 fr. »»	8 fr. 50
Texte latin seul (xxɪv-61 p.).	3 fr. 50	6 fr. »»
Traduction seule (xxɪv-78 p.)	5 fr. 50	8 fr. »»

2. *Le dossier de l'affaire des Templiers*, publié et traduit par G. Lize-rand, professeur au lycée Michelet. Un vol. petit in-8º, de xxɪv-229 pages (1923).

	Broché	Relié.
Prix pour les acheteurs ordinaires. . . .	12 fr. 50	15 fr. »»
Prix pour les souscripteurs à la collection .	10 fr. »»	12 fr. 50

3. Commynes, *Mémoires*, publiés par J. Calmette, professeur à la Faculté des lettres de Toulouse, avec la collaboration du cha-noine Durville; tome Iᵉʳ (1464-1474). Un vol. petit in-8º.

	Broché	Relié.
Prix pour les acheteurs ordinaires. . . .	15 fr. »»	18 fr. »»
Prix pour les souscripteurs à la collection .	12 fr. »»	15 fr. »»

4. *Histoire anonyme de la première Croisade*, publiée et traduite par Louis Bréhier, professeur à la Faculté des lettres de Clermont-Ferrand Un vol. petit in-8º.

5. *La chanson de la Croisade albigeoise*, publiée et traduite du pro-vençal par E. Martin-Chabot, archiviste aux Archives nationales. Un vol. petit in-8º.

Paraîtront ensuite :

(Les volumes marqués d'un * paraîtront parmi les premiers).

Grégoire de Tours, *Histoire des Francs*, publiée et traduite par L. Levillain, professeur au lycée Janson-de-Sailly.

* **Frédégaire,** *Chronique*, publiée et traduite par L. Levillain.

Fortunat, *Poésies*, publiées et traduites par E. Galletier, pro-fesseur à la Faculté des lettres de Rennes.

Vies de saints de l'époque mérovingienne (sainte Geneviève, saint Remi, sainte Radegonde, saint Ouen, saint Eloi, saint Léger, etc.), publiées et traduites par R. FAWTIER, lecteur à l'Université de Manchester.

* *Les Annales royales (741-829)*, publiées et traduites par L. HALPHEN.

Le « Codex Carolinus », publié et traduit par L. HALPHEN.

Le Moine de Saint-Gall, *Histoire de Charlemagne*, publiée et traduite par L. HALPHEN.

Éginhard, *Correspondance*, publiée et traduite par Mlle M. BONDOIS, professeur au lycée Molière.

Éginhard, *Histoire de la translation des reliques de saint Marcellin et de saint Pierre*, publiée et traduite par Mlle M. BONDOIS.

Poésies carolingiennes, publiées et traduites par E. FARAL, directeur d'études à l'Ecole des hautes études.

Capitulaires carolingiens, publiés et traduits par Mgr LESNE, recteur des Facultés catholiques de Lille, et H. LÉVY-BRUHL, professeur à la Faculté de droit de Lille.

L'Astronome, *Vie de Louis le Pieux*, publiée et traduite par L. BARRAU-DIHIGO, bibliothécaire de l'Université de Paris.

***Ermold le Noir,** *Poème sur Louis le Pieux*, publié et traduit par E. FARAL, directeur d'études à l'Ecole des hautes études.

Paschase Radbert, *L'épitaphe d'Arsenius*, publiée et traduite par J. CALMETTE, professeur à la Faculté des lettres de Toulouse.

***Nithard,** *Histoire des fils de Louis le Pieux*, avec le texte des *Serments de Strasbourg*, publiée et traduite par Ph. LAUER, bibliothécaire à la Bibliothèque nationale.

* **Loup de Ferrières,** *Correspondance*, publiée et traduite par L. LEVILLAIN, professeur au lycée Janson-de-Sailly.

* *Les Annales de Saint-Bertin (830-882)*, publiées et traduites par F. LOT, membre de l'Institut, professeur à la Faculté des lettres de Paris, et F. GRAT, ancien élève de l'Ecole des chartes.

Flodoard, *Histoire de l'Église de Reims*, publiée et traduite par Ph. LAUER.

* **Abbon,** *Le siège de Paris par les Normands*, poème latin publié et traduit par R. BRUNSCHVIG, agrégé de l'Université.

Gerbert, *Correspondance*, publiée et traduite par F. LOT, membre de l'Institut, professeur à la Faculté des lettres de Paris.

* **Richer,** *Histoire*, publiée et traduite par R. LATOUCHE, archiviste du département des Alpes-Maritimes.

Helgaud, *Vie de Robert le Pieux*, publiée et traduite par E. MARTIN-CHABOT, archiviste aux Archives nationales.

Fulbert de Chartres, *Correspondance,* publiée et traduite par R. MERLET, archiviste honoraire du département d'Eure-et-Loir.

Adémar de Chabannes, *Chronique,* publiée et traduite par J. DE FONT-RÉAULX, archiviste du département de la Drôme.

Dudon de Saint-Quentin, *Histoire des premiers ducs de Normandie,* publiée et traduite par H. PRENTOUT, professeur à la Faculté des lettres de Caen.

Guillaume de Poitiers, *Histoire de Guillaume le Conquérant,* publiée et traduite par H. PRENTOUT.

Les Miracles de Saint Benoît, publiés et traduits par R. FAWTIER.

Les historiens de la première Croisade, publiés et traduits par L. BRÉHIER, professeur à la Faculté des lettres de Clermont *(suite)*.

Baudri de Bourgueil, *Œuvres choisies,* publiées et traduites par l'abbé F. DUINE, aumônier du lycée de Rennes, et J. PORCHER, bibliothécaire à la Bibliothèque nationale.

Orderic Vital, *Histoire de Normandie,* publiée et traduite par H. OMONT, membre de l'Institut, conservateur du département des manuscrits de la Bibliothèque nationale.

Suger, *Vies de Louis VI et de Louis VII,* publiées et traduites par H. WAQUET, archiviste du département du Finistère.

Guibert de Nogent, *Mémoires,* publiés et traduits par L. HALPHEN.

Ive de Chartres, *Correspondance,* publiée et traduite par A. FLICHE, professeur à la Faculté des lettres de Montpellier.

* *Les recueils épistolaires de Saint-Victor de Paris,* publiés et traduits par J. PORCHER, bibliothécaire à la Bibliothèque nationale.

Geoffroi de Vigeois, *Chronique,* publiée et traduite par E. MARTIN-CHABOT, archiviste aux Archives nationales.

* **Villehardouin,** *La conquête de Constantinople,* publiée et traduite par H. LEMAÎTRE, bibliothécaire honoraire à la Bibliothèque nationale.

Pierre des Vaux-de-Cernay, *Histoire de la croisade des Albigeois,* publiée et traduite par J. CALMETTE, professeur à la Faculté des lettres de Toulouse.

Guillaume de Puylaurens, *Histoire de la croisade des Albigeois,* publiée et traduite par J. CALMETTE.

Documents sur les rapports diplomatiques et féodaux des rois de France et des rois d'Angleterre (1154-1259), publiés et traduits par F. M. POWICKE, professeur à l'Université de Manchester.

* **Joinville,** *Vie de saint Louis,* publiée et traduite par Mario ROQUES et Louis HALPHEN.

Geoffroi de Beaulieu, *Vie de saint Louis,* publiée et traduite par M. BLOCH, professeur à la Faculté des lettres de Strasbourg.

Poesies historiques des trouvères français des XII⁰ et XIII⁰ siècles, publiées et traduites par A. JEANROY, membre de l'Institut, professeur à la Faculté des lettres de Paris, et A. LANGFORS.

Poésies historiques des troubadours, publiées et traduites par A. JEAN-ROY, membre de l'Institut, professeur à la Faculté des lettres de Paris, et F. BENOÎT, membre de l'Ecole française de Rome.

Sermonnaires français des XII⁰-XIII⁰ siècles, publiés et traduits par M. BLOCH, professeur à la Faculté des lettres de Strasbourg.

Enquêtes et documents sur la société française au XIII⁰ siècle, publiés et traduits par A. DE BOÜARD, professeur à l'Ecole des Chartes.

Documents relatifs à l'histoire de l'industrie drapière au moyen âge, publiés et traduits par Henri PIRENNE, professeur à l'Université, de Gand, et G. ESPINAS.

Textes relatifs à la politique religieuse de Philippe le Bel, publiés et traduits par G. LIZERAND, professeur au lycée Michelet.

* **Bernard Gui,** *Guide de l'inquisiteur,* publié et traduit par l'abbé G. MOLLAT, professeur à la Faculté de théologie catholique de Strasbourg.

Geoffroi de Paris, *Chronique en vers,* publiée et traduite par A. PAUPHILET, et A. KLEINCLAUSZ, professeurs à la Faculté des lettres de Lyon.

Froissart, *Chroniques,* publiées par H. LEMAÎTRE.

Jean de Venette, *Chronique,* publiée et traduite par E. DÉPREZ, professeur à la Faculté des lettres de Rennes.

Jouvenel des Ursins, *Epîtres et harangues,* publiées et traduites par Pierre CHAMPION.

Jouvenel des Ursins, *Chronique,* publiée et traduite par L. MIROT. archiviste aux Archives nationales.

Pamphlets et libelles de la guerre de Cent ans, publiés par L. MIROT.

La Pragmatique Sanction de Bourges, publiée et traduite par Olivier MARTIN, professeur à la Faculté de droit de Paris.

Monstrelet, *Chronique,* publiée par L. CELIER, archiviste aux Archives nationales.

Thomas Basin, *Histoire de Charles VII et de Louis XI,* publiée et traduite par Ch. SAMARAN, archiviste aux Archives nationales.

* **Chastellain,** *Chronique,* publiée par H. STEIN, chargé de cours à l'Ecole des Chartes.

* **Commynes,** *Mémoires,* publiés par J. CALMETTE ; tomes II et III.

* *Recueil de traités et documents diplomatiques des XIII⁰, XIV⁰ et XV⁰ siècles;* 1ʳᵉ série (1259-1380), par J. VIARD, conservateur-adjoint aux Archives nationales ; — 2⁰ série (1380-1422), par L. MIROT.

N. B. — Les souscripteurs à la collection bénéficient d'une réduction de 20 % sur le prix des volumes brochés de l'édition complète. On souscrit à la librairie Champion, 5, quai Malaquais, Paris (vi⁰).

LES CLASSIQUES FRANÇAIS

DU

MOYEN AGE

Publiés sous la direction de MARIO ROQUES

I. — CATALOGUE MÉTHODIQUE

Première série : TEXTES

POÉSIE ÉPIQUE

ROMANS ANTIQUES

ROMANS D'AVENTURE

CONTES ET FABLIAUX

POÉSIE LYRIQUE

PROVENÇALE

FRANÇAISE

LITTÉRATURE DRAMATIQUE

HISTOIRE

LITTÉRATURE DIDACTIQUE

ABBEVILLE. — IMPRIMERIE F PAILLART